2ª edição: revisada e ampliada

você já é FEMINISTA!

ABRA ESTE LIVRO E DESCUBRA O PORQUÊ

ORGANIZAÇÃO DE NANA QUEIROZ & HELENA BERTHO

Pólen

AZMina revista
PARA MULHERES DE A A Z

A todas as envolvidas na Primavera das Mulheres do Brasil, que não foi feita só de flores, mas também de espinhos, folhas, galhos, troncos e raízes.

Não se faz uma estação inteira sem diversidade.

SUMÁRIO

8 CONHEÇA NOSSAS COLABORADORAS

14 APRESENTAÇÃO Feminismo: escolha o seu
Marcia Tiburi

17 INTRODUÇÃO Você já é feminista! Duvida?
Nana Queiroz

PARTE I BÊ-A-BÁ DO FEMINISMO

22 Saia do armário e se assuma feminista
Lola Aronovich

25 O feminismo, esse filho bastardo
Nana Queiroz

36 Teste: qual corrente do feminismo melhor a representa?
Nana Queiroz

55 Sororidade: a união faz a força
Letícia Bahia

59 Feminismo é pecado?
Simony dos Anjos

PARTE II IDENTIDADES

70 Guia inclusivo dos muitos gêneros
Jaqueline de Jesus

81 Travestis: uma identidade forçada à prostituição
Luísa Marilac

86 Lésbicas: o duro caminho das pedras coloridas
Tamy Rodrigues

93 Feminismo negro para quê?
Djamila Ribeiro

96 Feminismo, divisão sexual do trabalho e classe
Flávia Biroli

100 Rompendo o ciclo familiar de trabalho doméstico
Nana Queiroz

PARTE III O DIREITO AO PRÓPRIO CORPO

110 Sem prazer? A culpa é do machismo
Luiza Furquim

119 A pornografia e o feminismo
Carolina Oms e Nana Queiroz

124 Por que tantas mulheres odeiam suas vaginas
Helena Bertho

130 Putafobia e o direito de cobrar por sexo
Amara Moira

132 Cultura do estupro: ela existe e está dentro da sua casa
Letícia Bahia

139 O direito ao parto como você quiser
Carolina Vicentin

148 Aborto: uma questão de vida ou morte – e liberdade
Helena Bertho

152 Gordura é doença?
Camila de Lira

PARTE IV POR UMA CULTURA DE EQUIDADE

162 A revolução vai acontecer na pia
Nana Queiroz e Helena Bertho

176 Violência doméstica: o que é e quais são os tipos
Laura Reif

181 Como sair de uma situação de assédio no trabalho
Luciana Veloso

188 O verdadeiro custo da moda
Carolina Oms, Lúcia Ellen Almeida e Nana Queiroz

197 Os brinquedos e os estereótipos que ensinamos
a nossos filhos e a nossas filhas
Carolina Vicentin

203 Qual o lugar das mulheres na democracia brasileira?
Carol Vicentin

CONHEÇA NOSSAS COLABORADORAS

AMARA MOIRA
Travesti pan puta, feminista antes de mais nada, e escritora dessas de batom na boca e sem papas na língua. Militante dos direitos de LGBTs e de profissionais do sexo e primeira mulher travesti doutora da Unicamp, para desespero do patriarcado.

CAMILA DE LIRA
Camila Lira é jornalista formada pela Escola de Comunicações e Artes da USP, já fez reportagens para *Folha de S.Paulo*, *iG* e *UOL*. É também feminista e gordoativista.

CAROLINA OMS
Uma das fundadoras e diretora executiva da Revista *AzMina*. Já cobriu mercado e finanças na *Folha de S.Paulo* e no *Valor Econômico*, antes de encontrar seu caminho no feminismo.

CAROLINA VICENTIN
Uma das fundadoras e repórter especial da Revista *AzMina*, especialista em Bioética e Marketing Digital, trabalhou nos jornais *Metro*, *Correio Braziliense* e *Jornal do Brasil*, na Secretaria de Comunicação da Universidade de Brasília (UnB) e como consultora da Organização dos Estados Ibero-americanos.

DJAMILA RIBEIRO

Mestre em Filosofia Política pela Unifesp, é um dos principais nomes do feminismo negro no Brasil. É autora dos livros *O que é lugar de fala?*, *Quem tem medo do feminismo negro?* e *Pequeno Manual Antirracista*. É criadora do selo Sueli Carneiro e coordenadora da coleção Feminismos Plurais.

FLÁVIA BIROLI

Professora do Instituto de Ciência Política da UnB, é presidenta da Associação Brasileira de Ciência Política. É autora, entre outros, de *Autonomia e desigualdades de gênero*, *Família: novos conceitos* e *Feminismo e política: uma introdução*.

HELENA BERTHO

Uma das fundadoras e diretora de redação da Revista *AzMina*. Formada em jornalismo pela USP, com pós-graduação em roteiro audiovisual pela FAAP, atua há dez anos como jornalista especializada em cobertura de gênero, violência contra a mulher e direitos sexuais e reprodutivos. Escreveu para veículos como *M de Mulher*, *Marie Claire*, *Superinteressante* e *Universa*.

JAQUELINE DE JESUS

Doutora em Psicologia Social e do Trabalho e pós-doutora em Trabalho e Movimentos Sociais. Foi assessora de diversidade e apoio aos cotistas da UnB e coordenou o Centro de Convivência Negra da mesma Universidade.

Presidiu a ONG Ações Cidadãs em Orientação Sexual e a Federação LGBT do Distrito Federal e Entorno. Organizou o livro *Transfeminismo: teorias e práticas*, primeiro sobre o assunto em português.

LARISSA RIBEIRO
Diretora de arte da Revista *AzMina*, designer e ilustradora deste livro. Formada em arquitetura pela FAU-USP, com especialização em ilustração infantojuvenil pela UAB e pela Escola de la Dona (Barcelona). É sócia do Estúdio Rebimboca, em São Paulo.

LAURA REIF
Laura Reif é formada em Jornalismo pela Universidade Metodista de São Paulo. Estudou Jornalismo Cultural e Mídias Sociais na Belas Artes e gosta de encontrar histórias diferentes por aí. Repórter freelancer, contribuiu também para *UOL*, *Trip*, *Tpm*, *Marie Claire*, entre outros veículos. Feminista, ariana – que não acredita nesse papo de signos – gosta de gatos, karaokês, Carnaval e equidade de gênero.

LETICIA BAHIA
Coordenadora do movimento Girl Up, da UN Foundation, no Brasil, foi diretora de relações institucionais da Revista *AzMina*, é psicóloga e trabalhou na área de sexualidade em projetos de prevenção de gravidez e DST na adolescência.

LOLA ARONOVICH
Mestre e doutora em Literatura e Língua Inglesa pela UFSC. Desde 2010, é professora do Departamento de

Letras Estrangeiras da Universidade Federal do Ceará. Assina o *Escreva Lola Escreva*, um dos blogs feministas mais bombados do Brasil.

LÚCIA ELLEN ALMEIDA
Trabalhou no mercado de moda por 15 anos, com passagem por empresas de todos os tamanhos – de pequenas a multinacionais.

LUCIANA VELOSO
Doutora em Direito Político e Econômico pela Universidade Presbiteriana Mackenzie, onde integra o grupo de pesquisa Mulher, Sociedade e Direitos Humanos. É autora do livro *Riscos Psicossociais e Saúde Mental do Trabalhador* e uma vencedora diante de uma situação de assédio moral.

LUISA MARILAC
Travesti por acidente e mulher por vocação, é coautora do livro *Eu, Travesti*, youtuber de sucesso, além de militante ferrenha pelos direitos das mulheres trans.

LUIZA FURQUIM
Jornalista com passagem por revistas femininas populares, nas quais escreve de forma acessível sobre violência doméstica, luta de classes, diversidade de gênero e protagonismo sexual.

MÁRCIA TIBURI
Escritora, professora, doutora em Filosofia pela UFRGS e pós-doutora em Artes pela Unicamp. Márcia é autora de diversos livros, entre eles *Feminismo em comum: para to-*

*das, todes e todo*s e *Como conversar com um fascista*. Foi candidata ao governo do Rio de Janeiro e saiu do Brasil em 2019 após receber ameaças à sua vida.

NANA QUEIROZ

Uma das fundadoras da Revista *AzMina*, autora do livro *Presos que Menstruam*, roteirista da série de mesmo nome, e coautora do livro *Eu, Travesti*. Foi criadora do protesto Eu Não Mereço Ser Estuprada. Trabalhou nas revistas Época, *Galileu*, *Criativa* e *Veja*, além dos jornais *Correio Braziliense* e *Metro*. É media campaigner da Avaaz. É bacharel em jornalismo pela ECA-USP e especialista em Relações Internacionais pela UnB.

SIMONY DOS ANJOS

Mãe do Bernardo e da Nina, evangélica, cientista social, mestre em Educação e curadora da Coluna Féminista, no portal *Justificando*. Assumiu a identidade de feminista cristã, no coletivo "Evangélicas Pela Igualdade de Gênero" (EIG), devido aos acontecimentos recentes da política brasileira. Simony tem trilhado o caminho do feminismo negro cristão em parceria com a Rede de Mulheres Negras Evangélicas para combater a interseccionalidade na religiosidade brasileira, que oprime milhões de mulheres negras dentro das igrejas.

TAMY RODRIGUES

Uma das fundadoras da Revista AzMina, além de linguista, educadora, militante LGBT e revisora. Já trabalhou em diversas conferências, escolas e programas de ensino de renome no Brasil e no exterior, como a formação idiomática de médicos na Universidade de Ciências Médicas de Cuba.

APRESENTAÇÃO

FEMINISMO: ESCOLHA O SEU

MARCIA TIBURI

O momento atual é de muito feminismo, feminismo por todos os lados, feminismo que se diz de muitos modos, que se faz de todos os jeitos. Feminismo analógico, digital, teórico e prático, feminismo como coletivo, como movimento, como ação doméstica, como ação pública, feminismo em casa, feminismo na rua. Feminismo negro, indígena, lésbico, feminismo radical, feminismo partidário, feminismo anárquico, feminismo de feministas.

Não importa onde aconteça e como se faça o feminismo, todo feminismo é contraconsciência, todo feminismo nasce da percepção das contradiçoes da sociedade machista. Uma feminista surge quando uma pessoa percebe que está sujeita a jogos de poder em função de sua condição de gênero. O feminismo é o gesto de autodevolução do seu próprio corpo, de sua voz, de sua linguagem a si mesma. É a politização contra a domesticação e a docilização às quais estão condenadas as pessoas sob a condição de mulheres.

Uma feminista é quem luta por seu próprio corpo, por sua existência e, nesse ato, luta por sua companheira que, assim como ela, está sujeita a uma sociedade de privilégios que precisa ser desmontada. Politizar a condição feminina é urgente. E isso se faz em comum, junto às pessoas que percebem e desejam o fim da opressão de gênero. Quando os privilégios de gênero são desmontados, percebe-se que estão justapostos aos privilégios sexuais, aos de classe econômica e cultural, e aos privilégios raciais. O feminismo ao longo de sua história é feito da percepção de singularidades que propõem que a vida em sociedade pode ser algo melhor de se viver. As feministas avançam contra tudo aquilo que produz o mal estar na sociedade pela violência contra as pessoas.

Há feminismos de todos os tipos porque há mulheres e pessoas oprimidas por gênero, sexualidade, classe e raça, idade, aparência, plasticidade e religião, em todo lugar. Feminista é, sobretudo, o questionamento que visa a mudar o lugar das coisas provocando deslocamentos e rupturas em todas as ordens estabelecidas. O poder, seja opressor, seja sedutor, não escapa do olhar crítico e atento que é o olhar feminista.

Os diversos feminismos compõem uma constelação que deixa clara a imagem do machismo. Ainda há menos feminismo do que seria necessário em todos os contextos. O machismo é tão enraizado socialmente, tão estrutural, tão micrológico, que o feminismo tem mesmo que ser um movimento muito forte, tem mesmo que se colocar como um luta diária e incessante, porque não se desmonta, não se descontrói a violência que dominou a sociedade até agora sem muita luta. A luta implica o esforço, a pressão, a insistência contínua e histórica contra a violência patriarcal, física e simbólica, a violência típica da dominação masculina. O feminismo é a resistência de todos os tempos. Aquela que abriu o espaço para todas as lutas e todos os direitos sempre ameaçados no projeto machista da racionalidade que preside as instituições.

Na luta é que as feministas ajudam a pensar a sociedade para transformá-la. Este livro surge como esse corpo em luta.

A leitora vai se encontrar entre as páginas generosas que tem pela frente.

INTRODUÇÃO: VOCÊ JÁ É FEMINISTA! E NÃO SABE

NANA QUEIROZ

Tenho completa segurança para abrir este livro declarando: você, leitora, é feminista, mesmo que ainda não saiba disso. E se você respondeu: "Ah, tá, mas você nem me conhece! Como pode dizer uma coisa dessas sobre mim?", está claro que ainda não entendeu, de fato, o que é feminismo.

Feminismo não é o contrário de machismo. Feminismo não é a ideia de que mulheres são melhores que os homens. Feminismo não é um movimento pelo fim da família e das religiões. Feminismo não é nenhuma dessas mentiras que andam dizendo por aí.

Feminismo é, na verdade, uma ideia bem simples: a de que homens e mulheres têm dignidade igual e merecem direitos equivalentes, e que você está disposta a se transformar e lutar por isso em sua vida pessoal e política.

Ou seja: ser mulher e não ser feminista seria um contrassenso sem tamanho. Seria como ser um cachorro e não ser a favor do movimento pelos direitos dos animais. Ou ser uma pessoa escravizada e se opor ao abolicionismo.

"Ah, mas eu tenho uma amiga que é feminista e odeia os homens e eu os amo, logo, não sou feminista" – também escuto essa uma porção de vezes. Por isso preciso avisar você: feministas vêm em vários tamanhos e formas e ninguém no mundo vai pregar que sejamos todas iguais. Não existe uma cartilha ou uma listinha de itens pra você se enquadrar e ir ticando antes de se considerar feminista. Nada disso! O feminismo de verdade, inclusive, celebra as diferenças entre as mulheres e as acolhe – a TODAS.

O que existem, na real, são muitas correntes com as quais você pode se identificar ou não – você também pode se identificar com várias ou nenhuma, à sua escolha. Eu gosto de pensar que cada mulher tem um pouquinho de cada corrente dentro de si porque, afinal, não somos robozinhos repetindo dogmas; somos pessoas críticas e pensantes tentando ser mais felizes nesse mundo, nos livrando do assédio, do estupro, da violência doméstica, entre outras violências cotidianas.

O objetivo deste livro não é resolver de forma definitiva nenhuma questão, mas servir de provocação para que você repense sua condição de mulher no mundo de hoje. Nossa ambição era tornar temas complexos acessíveis a todos, democratizando o debate feminista, mas, ao mesmo tempo, trazendo profundidade suficiente para engajar mesmo quem já está há algum tempo ouvindo falar de feminismo na internet.

Este livro, enfim, não é uma bíblia, é um convite para que você veja a mulher do espelho de maneira diferente. Porque, vamos combinar, nenhuma pessoa com um conhecimento mínimo de História não pode negar que as mulheres foram e são oprimidas. Imagine só que até poucos anos atrás nós não podíamos votar na Arábia Saudita! E que aqui, no Brasil, mais de 500 mulheres por hora sofrem violência, segundo uma pesquisa da Datafolha.

E desde que lançamos a primeira edição desse livro, vimos tantas coisas acontecerem, como o #MeToo denunciando assédios de famosos, a cada vez mais e mais pessoas falando sobre o feminismo. Por isso achamos que, para a segunda edição, seria bom incluir alguns assuntos que ficaram de fora, mas que têm dado o que falar, como a questão das trabalhadoras domésticas e da gordofobia. Também atualizamos os dados, para que você, leitora, embarque no feminismo sem medo de estar desatualizada.

Lembrando sempre que dentro deste debate sobre como construir uma sociedade em que as mulheres são mais felizes, não existem questionamentos proibidos nem perguntas ofensivas. E se alguém disser a você o contrário, esse alguém está completamente fora de órbita e não entendeu ABSOLUTAMENTE NADA!

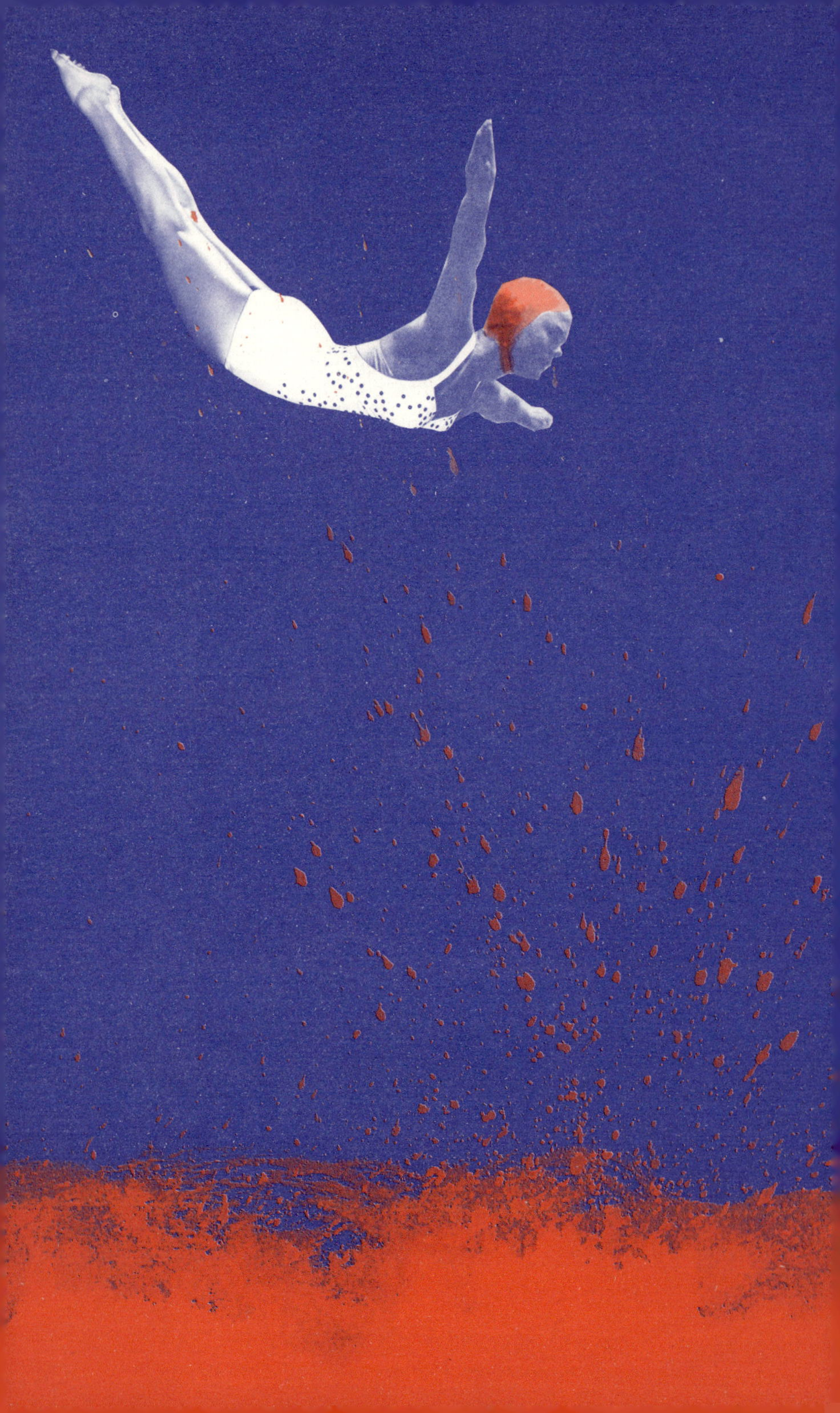

parte 1
BÊ-A-BÁ DO FEMINISMO

SAIA DO ARMÁRIO E SE ASSUMA FEMINISTA

LOLA ARONOVICH

Quando digo que sou feminista desde criancinha, tem quem atire pedras. "Como assim, você era feminista com 8 anos? Isso não existe!" Bom, essa é a minha realidade. Tive o privilégio de ter pais libertários que, desde cedo, me provocaram um forte senso de justiça. Nos meus diários, eu escrevia que mulheres não eram inferiores aos homens, que podíamos fazer tudo o que os homens podem fazer. Óbvio, não era um feminismo teórico. E ter me assumido feminista com 8 anos não me faz uma feminista melhor ou pior do que ninguém. Só significa que nunca fui contagiada pelo discurso antifeminista. Tudo isso que falam das feministas – que somos ogras peludas e frustradas querendo ser homens – nunca me afetou, porque eu decidi ser feminista muito antes de ser exposta às besteiras que criaturas retrógradas dizem sobre o assunto.

Por não prestar atenção às definições que os inimigos do feminismo dão às feministas, não tive conflitos para me assumir. Meus lábios nunca sussurraram as palavras "sou humanista, não feminista". Nem "sou a favor de direitos iguais entre homens e mulheres, mas pelo amor de Deus, não sou feminista!". E muito menos o famigerado "sou feminina, não feminista", louvados sejam meus lábios!

Sempre tive desconfiança de gente que demoniza a luta legítima das mulheres. Só algumas décadas mais tarde é que fui descobrir que os insultos que essa turma conservadora dedica às feministas de hoje são os mesmos usados contra as sufragistas, as mulheres que lutaram pelo direito ao voto 160 anos atrás. Ou seja, eles são conservadores mesmo: não mudam o discurso, não trocam o disco. E não são exatamente criativos.

Quando comecei a escrever o blog *Escreva, Lola, Escreva*, quase oito anos atrás, me dei conta de que muitas mulheres não se assumem feministas não tanto pela influência da propaganda antifeminista, mas porque pensam que pra ser feminista é preciso agir de certa forma, ou ter lido um monte de livros. Ler é incrível e ajuda a não ter que reinventar a roda toda vez que se está diante de um dilema. Mas não existe um comitê feminista que vai testar você e perguntar o que Simone de Beauvoir ou Judith Butler escreveram sobre a vida sexual dos pandas. E ninguém vai cassar sua carteirinha se você casar na igreja, pintar as unhas, usar salto alto ou parar de trabalhar por um tempo pra criar um filho.

Volta e meia talvez surja alguma feminista que não recebeu o memorando do tal comitê inexistente e não saiba que feminismo é sobre escolhas, não sobre proibições. Não se deixe abalar se alguém vier com uma lista de etiqueta feminista e não quiser aceitá-la no clubinho. A verdade é que não há clubinho, porque não existe hierarquia. Ninguém manda. Mas há vertentes, e inúmeras vezes essas vertentes discordam entre si (saiba mais sobre cada uma delas no próximo capítulo). É a vida, todo ativismo tem isso. Eu, pessoalmente, nunca me identifiquei com nenhuma corrente em particular. Pra mim, me assumir feminista já basta. Não preciso rotular meu feminismo em alguma vertente se tenho pontos de concordância com todas elas.

Agora, as más notícias. Ninguém se torna uma pessoa iluminada por ser feminista. As opressões não desaparecem magicamente depois que você se assume. No máximo você se empodera, se torna mais forte, mais preparada para o combate, mais livre. É um caminho sem volta. Ler uma revista feminina não será mais a mesma coisa. Você também passa a enxergar preconceitos que nem imaginava que existiam.

Só que vale a pena. E, pra falar a verdade, nem sei se é uma escolha. Num mundo tão cheio de injustiças, ninguém pode se dar ao luxo de não ser feminista.

O FEMINISMO, ESSE FILHO BASTARDO

NANA QUEIROZ

Enquanto tomavam as ruas e cortavam cabeças sob o lema "Liberdade, Igualdade, Fraternidade", os revolucionários franceses mal podiam imaginar que uma parcela não desejada da população também podia se sentir representada: as mulheres. Porque, afinal, quando se fala em acabar com as opressões dos nobres sobre o povo, por que não acabar também com as opressões dos homens sobre as mulheres? Sem querer, os revolucionários e revolucionárias deram a elas um bom arcabouço teórico para começar a construir o feminismo. É por isso que se diz que o feminismo é um filho bastardo da Revolução Francesa.

Em 1789, os insurgentes escreveram a Declaração dos Direitos do Homem e do Cidadão, que define os direitos individuais e coletivos, resumindo os sonhos para a França pós-revolução. Eles acreditavam que o documento contemplava, por meio da palavra "homem", todo o gênero humano. Três anos depois, no entanto, a escritora britânica Mary Wollstonecraft veio à público dizer "Peraí, meus caros, a coisa não é bem assim".

O polêmico livro que ela escreveu em resposta à declaração, *Reivindicação dos direitos da mulher*, é considerado por muitos historiadores, até hoje, o fundador do movimento feminista. Outras mulheres – e até homens – já haviam escrito em defesa dos direitos das mulheres ou analisado questões de gênero, mas foi Mary quem primeiro compilou, no Ocidente, o incômodo em forma de demandas concretas, inspirando outras mulheres a se organizarem em prol desses objetivos. Os homens instauraram o clima de combate contra tiranos e opressores, e Mary usou esse mesmo espírito para questionar os privilégios que tinham em relação às mulheres. "O direito divino dos maridos, tal como o direito divino dos reis, pode, espera-se, nesta era esclarecida, ser contestado sem perigo", afirmou ela na obra.

Mesmo estando à frente de sua época, Mary naturalmente não se distanciava demais do modo de pensar vigente. Apesar de defender a educação como meio de empoderamento feminino, o que era bastante revolucionário para aquela geração, seu argumento central em defesa das mulheres era o de que elas deviam ser educadas para que fossem mães e esposas mais competentes, beneficiando, assim, toda a sociedade. E, pasme, ela teve que gastar muita tinta defendendo o óbvio: que mulheres não eram inferiores aos homens, elas apenas não tinham acesso a formação e informação como eles. As lutas sistematizadas por Mary guiaram, por muito tempo, as feministas do que hoje é chamada de primeira onda do feminismo – que foi a mais longa de todas.

Mas contra o que as mulheres estavam se insurgindo, afinal? Contra um sistema que mais tarde foi chamado de patriarcado. O patriarcado pode ser definido, grosso modo, como a organização social em que os homens heterossexuais têm mais poder que pessoas de qualquer outro gênero. Assim são as sociedades em que mulheres não são autorizadas a estudar, dirigir nem votar. Ou, como no Brasil de hoje, em que nós não temos direitos sobre o governo absoluto dos nossos corpos e somos vítimas de violências físicas, psicológicas e sexuais por parte de homens que acham que são nossos donos.

Àquela época, as mulheres não tinham nenhum desses direitos fundamentais, além de serem proibidas de receber herança, de escolher com quem se casariam e de precisarem, na maioria dos países, de autorização dos maridos até para fazer tratamentos médicos. (E não pense que tudo isso acabou. Atualmente ainda existem locais em que mulheres vivem uma realidade bem parecida: como as sauditas, que só em 2015 ganharam o direito de votar; e as afegãs, que são até assassinadas por insistirem em ir à escola.)

É importante lembrar que o patriarcado não é o estado natural das coisas e que nem todas as sociedades se organizaram dessa maneira. Existiram e existem muitas sociedades matriarcais ou equânimes em aspectos de gênero entre os indígenas da América e povos da África, por exemplo. Até mesmo na Grécia houve períodos em que se veneravam deusas mulheres e se exaltava o que se chamava de energia feminina. Uma teoria bem popular entre historiadores é a de que as grandes potências europeias exportaram o patriarcado para as outras partes do mundo por meio da escravidão, do colonialismo e, depois, do neocolonialismo. Assim, o que era antes um problema europeu ganhou cores para praticamente todas as mulheres do mundo.

O FEMINISMO GANHA RUAS E MENTES

As ideias de Mary ganharam força durante os séculos 19 e 20. Grupos de mulheres se organizaram em diversas partes do

Ocidente, destacando-se, especialmente, nos movimentos de independência e de abolição da escravatura. Vale a pena se debruçar sobre a luta dessas mulheres inspiradoras.

Dos dois lados do Atlântico, feministas compararam a escravidão dos negros à das mulheres, ainda durante a primeira onda. Susan B. Anthony, nos Estados Unidos, e Harriet Taylor Mill, na Inglaterra, são apenas alguns exemplos. Já no Brasil, Nísia Floresta foi a primeira a importar as ideias de Mary, com o livro *Direitos das mulheres e injustiça dos homens*, de 1832. Ela não só defendia as mulheres, mas queria acesso a direitos iguais também para povos indígenas e negros. Mulheres foram importantes também na criação de rotas ocultas para a fuga de escravos do sul ao norte dos EUA, com grande destaque para irmãs Sarah e Angelina Grimké.

Em 1851, a ex-escrava Sojourner Truth foi a primeira mulher negra a chamar a atenção para o fato de que a categoria "mulher" não é única, e que é preciso prestar atenção para as particularidades dentro do grupo. Era um pequenino embrião do feminismo interseccional que se desenvolveria durante a terceira onda.

Enquanto a Revolução Industrial fez com que mulheres abandonassem sua produção artesanal doméstica de itens que poderiam ser vendidos para incorporarem-se à mão de obra das indústrias, também tornou o trabalho feminino ainda mais desvalorizado, financeiramente falando, em relação ao trabalho masculino. Homens eram ainda mais bem pagos em relação às mulheres do que são hoje.

Foi no chão de fábrica, portanto, que o feminismo socialista ganhou força, ainda em seus primórdios. E foi também lá que as sufragistas se conheceram e se organizaram na campanha de desobediência civil pelo voto na Inglaterra.

Na segunda metade do século 19, o Brasil também fervilhava e jornais independentes pregavam a boa nova do feminismo, como o *Jornal das Senhoras* e *O sexo feminino*. Foi no final desse século que universidades de nosso país – e também no Chile, no México e na Argentina – passaram a aceitar alunas do sexo feminino.

O século 20 foi de intensificação da luta das mulheres e das primeiras grandes conquistas. Começou com a luta das chinesas pelo fim da prática dolorosa de amarrar os pés de meninas para impedir que eles cresçam – o chamado *foot biding*. Elas tiveram uma vitória gradual, fruto da conscientização das famílias. Em 1911, a socialista Clara Zetkin criou o Dia Internacional da Mulher, organizando protestos na Alemanha, Áustria, Dinamarca, Suécia e outros países.

A Nova Zelândia havia sido, em 1893, o primeiro país a garantir o voto feminino e foi seguida por muitos outros durante as primeiras décadas do século. Alguns exemplos: Noruega em 1910, Reino Unido em 1918, EUA em 1920, Brasil em 1932, França em 1944, Itália e Japão em 1945, Índia em 1950, México em 1953, Suíça em 1971. O último de todos os países a permitir o voto feminino foi a Arábia Saudita, em 2015.

Importante frisar que nem todas as feministas lutaram pelo direito ao voto e muitas delas achavam que não fazia sentido participar de um sistema político que já era corrupto e constituído sobre bases machistas. É o caso de Emma Goldman e Mary Harry "Mother" Jones, por exemplo.

As duas guerras mundiais também colaboraram de maneira inesperada para que mulheres tomassem consciência de que eram uma categoria com interesses em comum. Pela primeira vez, as mulheres brancas foram forçadas a lançar-se ao mercado de trabalho em massa para substituir os homens que estavam no campo de batalha – vale lembrar, de maneira muito triste, que as mulheres negras já trabalhavam pesadamente nas colônias desde a escravidão.

Chegando ao ano de 1949, surgiu uma bomba chamada Simone de Beauvoir, na França. Ela lançou *O segundo sexo*, fazendo história com sua célebre frase "Não se nasce mulher, torna-se". O que Simone queria dizer com isso é que a categoria que entendemos como mulher, na verdade, não se refere a um conjunto de características naturais, mas socialmente construídas. Ou seja, não nascemos o "sexo frágil", mas, se nascemos fêmeas, somos ensinadas a sê-lo. Sua obra abre alas para a liberdade do ser dentro da categoria "mulher". Apesar de ser uma leitura um pouquinho complicada, vale a pena debruçar-se sobre a obra: ela é libertadora e permanece bastante atual!

Outra grande revolução para as mulheres, e que coincide com – e também provoca – o nascimento da segunda onda, foi a pílula anticoncepcional. O remédio possibilitou que nossas mães e avós pudessem separar, com segurança, sua sexualidade da maternidade, ganhando mais independência. Com essa independência surgiram novas questões para reflexão, como o direito ao próprio corpo, à liberdade sexual sem o duplo julgamento do "homem pode, mulher não", a negação da maternidade compulsória, maior flexibilidade para a escolha de carreiras como centro da vida, entre outras.

O lema dessa geração de feministas era "o pessoal é político". Já não existia mais um domínio doméstico no qual as feministas não deviam opinar. As mulheres queriam direitos também dentro da família e para o próprio corpo. Feministas dessa época protestaram queimando sutiãs, negaram aos homens o direito de falar em seu nome e valorizaram organizações horizontais em vez de hierarquizadas. Nascia o conceito de irmandade feminina (sororidade).

Graças às bandeiras dessa geração, hoje são considerados crimes a violência doméstica, o estupro marital, o assassinato de esposas infiéis, o assédio sexual, entre outras violências.

Muitos países conquistaram, também, nessa época, a descriminalização do aborto.

EXISTE MESMO "A MULHER"?

Desde que Simone abriu a porteira para derrubar ideias preconcebidas sobre a identidade feminina, começou-se uma discussão profunda, entre teóricos e teóricas do feminismo, questionando se existe, afinal, um conceito único que englobe todas as mulheres. É difícil mesmo entender esse dilema, mas vamos com calma que eu prometo que vai ficar mais simples.

A solução encontrada por muitos estudiosos foi separar a questão em duas categorias. De um lado estaria o sexo, relativo à biologia, ao ser fêmea, e, de outro, o gênero, o conjunto de comportamentos socialmente construídos e normalmente entendidos como "de mulher". Assim, ter vagina seria uma característica do sexo feminino, enquanto senso de cuidado pelo outro, fragilidade e gostar de cor-de-rosa seriam do mundo do gênero. Sacou?

Agora você está pronta para desconstruir tudo isso: nos anos 1990, uma teórica chamada Judith Butler abalou novamente as estruturas ao defender que não se trata de "ou/ou". No livro *Problemas de gênero: feminismo e subversão da identidade*, ela argumenta que mesmo o próprio sexo biológico é socialmente construído, e que o gênero é fluido e pode se alterar durante a vida de uma pessoa. Alguém pode se entender homem até os 20 anos e, depois, perceber que sua personalidade, naquele momento, combina mais com a categoria mulher. Ou com nenhuma delas. E quando observamos um corpo para dizer se ele é mais ou menos feminino, muitas vezes estamos falando de delicadeza de movimentos, de pernas depiladas ou de outras características que extrapolam a biologia. Mais: para ela, usar a palavra mulher já é limitar. "Talvez, paradoxalmente, a ideia de 'representação' só venha realmente a fazer sentido para o feminismo quando o sujeito 'mulheres' não for presumido em parte alguma", escreveu ela.

Três anos depois do lançamento do livro de Judith, a bióloga Anne Fausto-Sterling trouxe o assunto para dentro do mundo das ciências biológicas, escrevendo *Os cinco sexos*. Nesse artigo, ela usou a genética e o exemplo das pessoas intersexo (normalmente chamadas de hermafroditas) para deixar bem evidente que, de fato, a natureza não se encaixa no binarismo homem versus mulher. Não existem apenas os pares XX e XY, mas XXX, XXY e XYY. Ou seja, Judith tinha razão: mesmo as classificações biológicas têm viés cultural.

Tudo isso só faz reforçar que a terceira onda do feminismo, do qual essas duas teóricas fazem parte, está ligada à diversidade. É sobre incluir, desconstruir, analisar identidades que se inter-relacionam. Não interessa mais pensar a mulher como sujeito único, mas a mulher lésbica, a mulher negra, a mulher indígena, a mulher trans, a mulher pobre, a mulher rica, a islâmica, a judia, a cristã, e assim por diante. A principal bandeira é combater todos os tipos de opressões. Não faz mais sentido ser feminista e ser racista, por exemplo. Ou ser feminista e a favor de que uma mulher possa maltratar ou tratar injustamente a outra, mais pobre, que trabalha para ela.

Existe, nesse momento, também uma globalização do feminismo, e o diálogo entre culturas só colabora para que se entenda que essas especificidades precisam ser respeitadas na hora de se traçar leis internacionais, recomendações, diálogos diplomáticos. O mundo começa a discutir questões como o uso da burca, a mutilação genital feminina, o machismo tradicionalista latino-americano sob o ponto de vista do multiculturalismo – todas questões longe ainda de serem resolvidas.

Se, por um lado, entendemos a importância de se fazer valer os direitos da mulher, por outro não se acredita mais em respostas universais, pois elas atravessam as diferenças culturais entre os povos e constituem um desrespeito à diversidade.

Em 1975, a ONU havia organizado a primeira Conferência Mundial sobre as Mulheres, na Cidade do México. Mas foi a Conferência Mundial para a Revisão e Avaliação das Realizações da Década das Nações Unidas para a Mulher: Igualdade, Desenvolvimento e Paz, de 1985, realizada em Nairóbi (Quênia) que foi considerada por muitos como o marco do nascimento do feminismo globalizado. A Quarta Conferência Mundial sobre as Mulheres, que ocorreu em Pequim (China), em 1995, foi mais adiante e definiu os direitos das mulheres como direitos humanos e assumiu compromissos com a agenda feminista. Em 2010, foi criada a ONU Mulheres, institucionalizando o feminismo na maior das organizações internacionais.

A QUARTA ONDA DO FEMINISMO

Um monte de gente no começo do século tentou decretar a morte do feminismo e afirmar que vivemos uma era pós-feminista, mas a realidade mostrou-se bem diferente. Com opressões do patriarcado ainda muito presentes no século 21, o que começamos a assistir é uma verdadeira Primavera das Mulheres, alimentada pelas redes sociais e pela popularização da internet.

Alguns teóricos chamam essa nova leva de feministas conectadas de "quarta onda", uma onda marcada pela popularização e democratização do feminismo na rede ou através dela. As bandeiras são diversas e temas das outras ondas são revisitados – aliás, sua principal característica não é a temática abordada, mas a massificação do feminismo.

No Brasil, esse período começou com movimentos de rua como a Marcha das Vadias e, em 2014, ganhou espaço em grandes campanhas virtuais antiassédio e contra a cultura do estupro, como a Chega de Fiu Fiu e a #NãoMereçoSerEstuprada. Fortaleceu-se em 2015 e início de 2016 com discussões em torno do #PrimeiroAssédio, questionamentos sobre a ausência de vozes femininas na imprensa com o #AgoraÉQueSãoElas, a luta pelo #CarnavalSemAssédio – esta última com forte apelo antirracista – e a popularização de youtubers feministas como Jout Jout e Tia Má, e o Canal das Bee. Em 2017, o movimento #MeToo tomou o mundo, revelando dezenas de casos de assédio no universo do cinema e televisão, inclusive no Brasil.

A agitação das feministas nas redes sociais, no entanto, não apagou os movimentos do mundo off-line. Coletivos de mulheres jovens se organizam com mais força nas periferias – e usam a internet para ganhar voz no funk, no hip-hop ou em sites e blogs. Mulheres também formam alas fortalecidas dentro de movimentos de outras áreas, como o dos estudantes paulistas em 2015 ou mesmo alas em partidos e organizações sociais como o Movimento dos Sem Terra (MST). As Marchas das Vadias e a Marcha Mundial das Mulheres continuam ativas e relevantes. E o jornalismo independente começa a adotar o recorte de gênero para ver o mundo, com o nascimento (ou fortalecimento) de páginas e portais como Geledés, ThinkOlga, Revista AzMina, Revista Capitolina, entre outras publicações.

Em 2018, o movimento impactou diretamente a política, influenciando mais candidaturas e eleições de mulheres – subindo de 10% para 15% a representatividade feminina no Congresso Nacional – e também sendo uma das linhas de frente à eleição de Jair Bolsonaro, com o movimento #EleNão.

É difícil prever o que acontecerá com essa nova leva de feministas, já que há pouco tempo para análise. As próprias características do ativismo pela internet apresentam ameaças e oportunidades nunca antes à mão. Há o risco de a agressividade característica da despersonalização da rede acabar por dividir e enfraquecer o movimento – ou que nunca passe de um feminismo personalista, em clima de desabafo e sem ação. Mas há também possibilidades animadoras, com transformações reais, culturais e profundas, e a criação de um exército de fiscais antimachismo, que mobilizem a opinião pública e não cansem de causar barulho. Seguimos esperançosas de que a segunda opção vencerá.

CLÁSSICOS DO FEMINISMO PARA LER E RELER
(A MAIORIA DELES ESTÁ DISPONÍVEL GRATUITAMENTE NA WEB!)

- *Mary Wollstonecraft* – REIVINDICAÇÃO DOS DIREITOS DA MULHER (1792)
- *Nísia Floresta* – DIREITOS DAS MULHERES E INJUSTIÇA DOS HOMENS (1832)
- *Sojourner Truth* – DISCURSO "NÃO SOU UMA MULHER?" (1851)
- *John Stuart Mill* – A SUJEIÇÃO DAS MULHERES (1869)
- *Friedrich Engels* – A ORIGEM DA FAMÍLIA, DA PROPRIEDADE PRIVADA E DO ESTADO (1884)
- *Virgínia Woolf* – UM TETO TODO SEU (1929)
- *Simone de Beauvoir* – O SEGUNDO SEXO (1949)
- *Betty Friedan* – A MÍSTICA DA MULHER (1963)
- *Germaine Greer* – A MULHER EUNUCO (1971)
- *Heleieth Saffioti* – A MULHER NA SOCIEDADE DE CLASSE: MITO E REALIDADE (1976)
- *Michel Foucault* – HISTÓRIA DA SEXUALIDADE (1976)
- *Naomi Wolf* – O MITO DA BELEZA (1990)
- *Judith Butler* – PROBLEMAS DE GÊNERO: FEMINISMO E SUBVERSÃO DA IDENTIDADE (1990)
- *Anne Fausto-Sterling* – OS CINCO SEXOS: PORQUE MACHO E FÊMEA NÃO SÃO O BASTANTE (1993)
- *Bell Hooks* – O FEMINISMO É PARA TODO MUNDO: POLÍTICAS ARREBATADORAS (2000)
- *Chimamanda Ngozi Adichie* – SEJAMOS TODOS FEMINISTAS (2014)

TESTE: QUAL CORRENTE DO FEMINISMO MELHOR A REPRESENTA?

NANA QUEIROZ

Antes de você começar este teste, vamos bater um papo sobre liberdade de pensamento. Uma das melhores coisas sobre o feminismo é que ele não é uma religião, não têm dogmas nem proibições e estimula mulheres a pensarem de forma crítica e questionadora. Digo isso porque existe um fenômeno recente do feminismo de internet brasileiro que consiste em desautorizar as opiniões de determinadas mulheres alegando que "elas precisam ler mais" ou "como pode se dizer feminista intersecional e afirmar tal coisa?". Tudo isso é falácia.

Você não precisa se colocar em caixinhas para ser feminista. Não precisa de um rótulo dizendo que faz parte daquele ou deste grupinho. O bom de existirem muitas correntes no feminismo é, justamente, afirmar a diversidade e mostrar que tem lugar pra todo mundo, desde que você esteja disposta a mudar a si mesma e o mundo ao seu redor. Você pode ser uma liberal em assuntos morais, mas socialista em assuntos econômicos ou vice-versa e ninguém vai expulsar você da turma por isso. Vale dizer ainda que essas correntes não são rígidas: elas se alimentam, discutem e aprendem entre si.

E é difícil encontrar alguém que pense 100% como manda uma teoria e discorde completamente de outra. Por isso, faça o teste com as correntes que selecionamos – existem outras possibilidades, como o feminismo materialista, por exemplo – como um jeito de refletir sobre essas questões e começar a conhecer mais tudo que cabe dentro do imenso guarda-chuva chamado feminismo – e não sinta que o resultado é uma amarra pra você!

1) COM RELAÇÃO AO TRABALHO, QUAL FRASE MELHOR IDENTIFICA O QUE VOCÊ PENSA?

A) A maioria das mulheres melhor se realiza em casa, como mãe e administradora do lar, e esse trabalho também tem valor e é preciso educação para fazê-lo apropriadamente. Mulheres excepcionais podem encontrar felicidade também no mercado de trabalho ou na política, por isso essa possibilidade deve estar aberta a todas.

B) Mulheres só serão completamente livres quando forem ao mercado de trabalho e ganharem seu próprio dinheiro.

C) Mulheres devem trabalhar, pois elas trazem à esfera pública qualidades típicas da mulher, como senso de justiça, moralidade e cuidado maternal pelos outros.

D) É preciso destruir a ideia de que mulheres têm, necessariamente, que ser mães e se casar – só assim sua liberdade de escolha será plena. Trabalhar gera independência financeira e empodera a mulher diante do homem e a protege de eventuais violências.

E) São necessárias cotas e políticas de incentivo para que mulheres de raças e classes sociais diversas ocupem cargos de liderança nas empresas. Trabalhar gera independência financeira e empodera a mulher diante do homem e a protege de eventuais violências.

2) O PAPEL DAS MULHERES NA CRIAÇÃO DOS FILHOS É:

A) Maior que o do homem. A mulher deve se dedicar mais a essa tarefa, se escolher ser mãe, e deve ser reconhecida e valorizada por esse trabalho.

B) Igual ao do homem e todas as tarefas referentes à família devem ser compartilhadas entre os cônjuges e com a sociedade, com a oferta de creches públicas e serviços similares.

C) Essencial. Mulheres inclusive podem levar a experiência e o sentimento materno para a política e o mercado de trabalho.

D) Como o do homem. Inclusive, não existe um instinto materno natural, inerente a toda mulher. Há mulheres que não desejam ser mães e não há nada de errado com isso. Para as que optam por ter família, é preciso atualizar esse conceito, conferindo a elas maior liberdade profissional e sexual e garantindo que um cônjuge não seja propriedade do outro.

E) Igual ao do homem e as tarefas devem ser compartilhadas de maneira igual, respeitando-se o contexto e a história individual de cada casal ou mãe solo. A sociedade também deve compartilhar parte do serviço, pois a criação de futuros cidadãos é um trabalho coletivo.

3) COMO SE DARÁ A LIBERTAÇÃO TOTAL DA MULHER?

A) Quando homens e mulheres tiverem direitos, deveres e oportunidades iguais para perseguir o maior desenvolvimento de seu potencial.

B) Pelo combate ao capitalismo, que é a origem de todas as opressões que existem hoje, inclusive dentro da família. As mulheres só serão livres quando mulheres de todas as classes sociais forem livres.

C) Quando homens e mulheres tiverem direitos, deveres e oportunidades iguais e mulheres forem valorizadas por suas qualidades específicas.

D) Com a total reconstrução da mentalidade sobre gênero e reorganização absoluta da sociedade. Temos que eliminar as categorias "mulher" e "homem" e respeitar que as pessoas não precisam se enquadrar em padrões de gênero.

E) Por meio do combate ao machismo, ao racismo e à desigualdade de classe, todos em igual intensidade, com a criação de políticas de empoderamento que corrijam as injustiças que hoje estão estabelecidas entre mulheres e homens e entre mulheres de diversos grupos sociais marginalizados. As mulheres só serão livres quando mulheres de todas as cores, credos e classes sociais forem livres.

4) QUAL DEVE SER O PAPEL DA MULHER NA POLÍTICA?

A) Mulheres devem, sim, participar da política se assim escolherem. Se o acesso a estudo, informação e direitos forem iguais para homens e mulheres, elas naturalmente alcançarão maior representatividade no Congresso e demais esferas de poder. Na política, devem abordar todos os temas, e não se restringir a questões de gênero.

B) Mulheres e homens devem ter participação igual na política para que se quebrem as hierarquias sociais. No poder, no entanto, elas precisam se posicionar contra a organização capitalista da sociedade e, só assim, conseguirão combater todas as formas de opressão.

C) Mulheres devem participar da política, pois têm características de liderança das quais a sociedade se beneficiaria muito. Elas têm o poder de cuidar da nação como uma mãe cuida de seus filhos, são menos propensas à guerra e mais inclinadas à diplomacia e tendem a ser mais justas e menos corruptíveis que os homens.

D) As mulheres devem tomar para si a arena política, mas sem entrar no jogo de poder atual. Devem desconstruir as regras e refazê-las em outras bases, mais justas e menos patriarcais. Só assim sua participação na política será realmente efetiva, e sua voz, ouvida.

E) Não basta haver mulheres participando ativamente da política. É necessário que o grupo de mulheres nessa carreira seja tão diverso quanto a sociedade que elas representam. Por isso é importante não apenas que o acesso a direitos seja igual ao dos homens, mas que existam políticas de incentivo e cotas partidárias para a inclusão de mulheres, considerando a representação de minorias como negras, indígenas, transexuais e outras.

5) O QUE É SER MULHER?

A) Ser mulher é mais do que ser fêmea. A sociedade nos forma e nos cria desde pequenas para nos comportarmos de determinadas maneiras e algumas dessas ideias devem ser combatidas, pois somos tão inteligentes e capazes quanto os homens. No entanto, nossa biologia faz com que sejamos insubstituíveis em alguns papéis, como o de mães.

B) Ninguém nasce mulher, torna-se. A sociedade nos forma e nos cria desde pequenas para nos comportarmos de determinadas maneiras e para facilitar nossa dominação pelos homens. Nada deve nos definir, a liberdade deve ser nossa própria substância.

C) Ser mulher é ter um conjunto de características específicas que fazem de você, inclusive, superior ao homem em diversas áreas. É ser mais pacífica, mais diplomática, mais apta ao amor e ao cuidado do outro.

D) Talvez o momento em que melhor se defenda os direitos das mulheres seja quando seja desnecessário usar a palavra "mulher", já que definir é limitar.

E) Ninguém nasce mulher, torna-se. Por isso, pessoas nascidas com pênis também podem se entender como mulheres, por exemplo. O "ser mulher" é enquadrar-se em uma série de categorias construídas socialmente e esse conceito se altera de uma cultura para outra.

6) O QUE É GÊNERO?

A) Gênero é um conjunto de regras comportamentais que separam as pessoas nas categorias mulher, homem, trans etc. É preciso entender essas categorias e derrubar alguns mitos em torno delas, pois servem como base para preconceitos. Mas também não tem problema nenhum querer se enquadrar em um ou outro estereótipo de gênero se isso faz você se sentir bem.

B) Gênero é um conjunto de regras comportamentais que separam as pessoas nas categorias mulher, homem, trans etc., para criar uma relação de dominação entre elas. O gênero existe porque o mundo é capitalista e, no capitalismo, as pessoas são estimuladas a competir e criar hierarquias entre si para tirar proveito da mão de obra de um grupo menos favorecido.

C) Gênero serve para descrever as características e comportamentos sociais comuns a mulheres, de um lado, e homens, de outro, além de abarcar tudo que está no espectro entre os dois. É uma classificação que faz sentido, já que muitas dessas características fazem parte da natureza da mulher ou do homem.

D) Gênero é uma construção artificial sobre como as pessoas deveriam se comportar e se expressar socialmente de acordo com seu sexo biológico. Ele deve ser desconstruído para que as pessoas possam ser mais livres para fazer o que bem entender sem se preocupar se se tratam de "coisas de menina" ou "coisas de menino". Gênero também é algo fluido que pode mudar durante o decorrer da vida de uma pessoa. No mundo perfeito, não precisaremos de categorias como "homem", "mulher", "transexual" – as pessoas apenas serão únicas como são, com todas as alternativas a seu dispor.

E) Gênero é um conjunto de regras comportamentais que separam as pessoas nas categorias mulher, homem, trans etc. As ideias sobre o que significa ser mulher se alteram de acordo com as culturas e o grupo social, o que significa que são categorias mutantes. É preciso entender essas categorias e derrubar alguns mitos em torno delas, pois servem como base para preconceitos. E é preciso criar novas categorias que incorporem todas as pessoas. Mas também não tem problema nenhum querer se enquadrar em um ou outro estereótipo de gênero se isso faz você se sentir bem.

7) O QUE VOCÊ ACHA DA PORNOGRAFIA E DA PROSTITUIÇÃO?

A) Pode ser maléfico ou empoderador, depende da situação que levou cada indivíduo a isso. A sociedade não deve interferir e essa deve ser uma escolha da mulher, claro, garantindo que ela tenha acesso a outras opções e oportunidades.

B) São maneiras de o capitalismo tornar o corpo da mulher uma mercadoria e tirar vantagem sobre ele para gerar lucro.

C) É imoral e diminui o valor da mulher e de seu corpo, que é algo sem preço. Deve ser combatido com campanhas culturais e programas de auxílio a essas mulheres.

D) É uma forma de os homens usarem as mulheres, transformá-las em objetos sexuais e controlar sua sexualidade. Devemos libertar as mulheres dessa forma de opressão e conscientizá-las de que, mesmo sem perceber, elas estão sendo usadas.

E) É preciso considerar a diversidade de situações e contextos para opinar. Em sociedades igualitárias em que as mulheres têm acesso a oportunidades em outras áreas, a prostituição e o trabalho como atriz pornô podem ser alternativas válidas. No entanto, na maior parte dos contextos, as mulheres optam por essas profissões por falta de oportunidade e desespero, e acabam vítimas de violência.

8) O QUE VOCÊ PENSA SOBRE O ABORTO?

A) Não importa se sou contra ou a favor, a sociedade não deve interferir nesta escolha que é pessoal de cada mulher. As mulheres devem lutar por esse direito pelas vias legais existentes.

B) O Estado deve não só permitir o aborto, mas oferecê-lo gratuitamente no Sistema Único de Saúde (SUS) como parte dos cuidados com a saúde sexual da mulher.

C) Sou contra, pois a maternidade é da natureza da mulher e vontade de Deus. Porém, essa é minha opinião pessoal.

Como o Estado é laico, o aborto não deve ser criminalizado, mas também não deve ser legalizado e oferecido em clínicas pagas com dinheiro público para não ferir a consciência de quem paga impostos.

D) O Estado deve não só permitir o aborto, mas oferecê-lo gratuitamente no Sistema Único de Saúde (SUS) como parte dos cuidados com a saúde sexual da mulher. E as mulheres devem fazer o necessário para conseguir esse direito, inclusive quebrar algumas leis, se necessário.

E) Não importa se sou contra ou a favor, a sociedade não deve interferir nesta escolha que é pessoal de cada mulher. Mas o Estado laico deve não só permitir o aborto, mas oferecê-lo gratuitamente no Sistema Único de Saúde (SUS) como parte dos cuidados com a saúde sexual da mulher, principalmente em casos de mulheres pobres ou que tenham outras realidades que tornem a maternidade um peso maior do que podem enfrentar.

MAIS RESPOSTAS A: FEMINISMO LIBERAL

O feminismo nasceu liberal. É inspirado nos ideais da Revolução Francesa e do Liberalismo, no clamor da Mary Wollstonecraft em *Reinvindicação dos Direitos das Mulheres*. Para essas teóricas, o cerne da questão está na igualdade de acesso a direitos: se mulheres tiverem o mesmo acesso a direitos que homens, naturalmente a balança de poder vai se reequilibrar na sociedade, na política, na economia, na família, enfim.

O feminismo liberal não pretende abalar as estruturas, sua estratégia consiste em incluir mulheres dentro delas. O foco do feminismo liberal é o indivíduo mulher. Assim, nenhuma escolha é rejeitada, contanto que seja tomada com liberdade. Se uma mulher quiser ser dona de casa, mãe e uma esposa tradicional, está tudo bem, desde que ela não seja forçada a isso.

No feminismo liberal o homem tem espaço e seu lugar é ao lado da mulher, sem hierarquias. Disse, já na inauguração da corrente, Mary Wollstonecraft: "Não desejo que as mulheres tenham poder sobre os homens, mas sobre elas mesmas". Questões pessoais não estão longe do debate. Como popularizou Betty Friedan, um dos ícones desta corrente: "O pessoal é político". Foi assim que ela incluiu na agenda questões como aborto, liberação sexual, padrões de beleza, violência doméstica, entre outros.

Sob o ponto de vista moral, as liberais acreditam que não existem regras gerais de comportamento. Desta maneira, acabam sendo muito mais flexíveis com questões como pornografia e prostituição. Apostar na criação de um pornô para mulheres, por exemplo, é uma estratégia bastante liberal.

As feministas liberais são criticadas pelas outras correntes, principalmente, por não enxergarem que todos as mulheres não começam, de fato, do mesmo ponto de partida. Portanto, não bastaria oferecer a todas direitos iguais, seria preciso criar regras que desfizessem esses desequilíbrios, dando mais chances para que mulheres em posição de desvantagem alcancem o mesmo status das demais.

MAIS RESPOSTAS B: FEMINISMO SOCIALISTA

O feminismo socialista nasce das primeiras críticas ao feminismo liberal ali pelo século 19. Para teóricas dessa corrente, a igualdade de direitos em muito favorece as mulheres de classes dominantes, mas faz muito pouco pelas pobres, que nem sequer conseguem usufruir desses direitos por estarem mais engajadas em questões de sobrevivência.

Os próprios Karl Marx e Friedrich Engels, em seus escritos, já defendiam a igualdade absoluta entre homens e mulheres como um valor intrínseco do socialismo. Para ambos, porém, a desigualdade de gênero é resultado do sistema capitalista que estimula a competição entre os seres humanos e não a cooperação. Nesse sistema, haveria o estímulo para que categorias fossem criadas para justificar a exploração da mão de obra das pessoas pertencentes a determinados grupos sociais. Por exemplo, por muitos anos usou-se a desculpa infundada de que negros seriam os descendentes de Caim, amaldiçoados por Deus por matar seu irmão Abel, para justificar teologicamente a escravidão. Da mesma forma, por muitos anos, tanto religião quanto ciência foram usados para defender uma suposta inferioridade feminina que tornaria a mulher um ser frágil que deve servir e obedecer ao homem em troca de sua proteção. Assim, os homens explorariam a mão de obra feminina, que cozinhava, lavava e passava, além de cuidar dos filhos, sem exigir o devido pagamento ou valorização.

As feministas socialistas acreditam que a mulher não deve se emancipar somente no mercado de trabalho, mas também dentro da família e que seu trabalho doméstico deve ser considerado um ganho indireto (por gerar economias). O trabalho doméstico deve, inclusive, ser socializado, com a criação de creches e restaurantes públicos, por exemplo. Sua principal estratégia para liberar as mulheres é incorporá-las ao mercado de trabalho e dar a elas condições e salários justos para que não dependam dos homens. "A mulher permanecerá subjugada até que seja economicamente independente", afirmou Clara Zetkin já em 1889.

Elas também defendem que o Estado assuma responsabilidade por sua saúde sexual, pela contracepção, e ofereça aborto livre pago pelo sistema público de saúde. Rejeitam o sistema de um peso e duas medidas para o comportamento sexual de homens e mulheres. Autoras e autores normalmente associadas a essa linha de pensamento são Flora Tristan, Friedrich Engels, Emma Goldman e Clara Zetkin.

A principal crítica feita a essa corrente é a de valorizar excessivamente a condição econômica da mulher e esquecer-se de que dominação e exploração também têm origens culturais e raciais.

MAIS RESPOSTAS C: FEMINISMO MATERNALISTA

O feminismo maternalista tem como estratégia principal não desconstruir os estereótipos relacionados às mulheres, mas exaltá-los. Extrapolando o conceito de que mulheres têm uma natureza favorável à maternidade e aos cuidados do outro, feministas dessa corrente afirmam que essas características são também muito úteis no mercado de trabalho e na política, onde mulheres teriam mais facilidade para se comunicar, resolver problemas e cuidar do coletivo com tendência à paz e à diplomacia, e não à guerra, como os homens.

Veja que a participação da mulher na esfera pública, segundo essa linha de raciocínio, não deve se dar em detrimento da maternidade e do papel da boa esposa, mas ser compatibilizada com essas tarefas.

No Brasil, Francisca Diniz tinha algumas ideias bastante afins a essa linha e chegava a afirmar: "como mães, as mulheres representam a santidade infinita do amor (...) como esposas, fidelidade imortal". Para ela, essas qualidades "provam sua superioridade e não sua inferioridade, e mostram que homens que lutam pelo princípio da igualdade deveriam lutar por essa equidade também.

Trata-se de uma corrente aliada a ideais conservadores, cristãos, e com valores morais bastante rígidos. Rejeita a liberação desenfreada da sexualidade feminina alegando que "isso seria se rebaixar ao nível dos homens". Muitas dessas feministas se opõem pessoalmente ao aborto mas, por reconhecerem que o Estado é laico, acreditam que seu ponto de vista não deve ser imposto a mulheres que não partilham de sua fé, como exemplifica o grupo "Católicas pelo Direito de Decidir".

É, em geral, guiada pela luta contra a prostituição e todos os excessos do corpo. Nos anos 1870, nos EUA, mulheres pertencentes a esses grupos costumavam entrar em lojas e destruir caixas de bebidas alcoólicas para impedir que maridos bêbados fossem violentos. Ou seja, em vez de rejeitar a ideia de que lugar de mulher é dentro de casa, elas tentavam proteger as mulheres ali.

Críticas a essa corrente afirmam que esse jeito de pensar se mostrou muito perigoso para as mulheres. Primeiro porque exclui milhões de mulheres que não se identificam com os ideais normalmente associados à feminilidade, e força uma adequação a padrões demais, podando a liberdade. Segundo, porque essa valorização excessiva do papel da mulher no universo privado contribui, no final das contas, para afastar as mulheres da política, do trabalho e da esfera pública, ou, em outros casos, para sobrecarregá-las com mais tarefas do que dão conta.

MAIS RESPOSTAS D: FEMINISMO RADICAL

Não se deixe enganar pelo nome: o feminismo radical não tem nada a ver com mulheres odiosas que querem matar homens –

isso é uma distorção de seu real significado. Essa corrente, na verdade, usa o "radical" como significado de "aquilo que está na raiz". No caso, são mulheres que acreditam que a opressão de gênero é a origem de todas as outras opressões.

Essa linha teórica nasceu ali pelo anos 1960 e é normalmente identificada com a segunda onda do feminismo. Historicamente, foi analisado como um feminismo branco de classe média. A classificação é ao menos um pouco injusta, pois muitas feministas da segunda onda lutaram pelos direitos civis da população negra dos EUA. Vale ressaltar também que, de sua origem pra cá, o RadFem, como ficou popularmente conhecido, mudou bastante e diversificou-se, abrindo espaço para pautas de outras minorias.

Em vez de pensar o indivíduo mulher e seus direitos, ele foca no coletivo e acredita que existem grupos de poder na sociedade que influem nas oportunidades a que cada um tem acesso. Por exemplo: se uma mulher tiver todos os direitos garantidos pela lei mas for muito, muito pobre, ela continuará incapaz de usufruir deles. Em vez de defender a incorporação das mulheres aos sistemas que já estão aí, como as liberais, as radicais acham que temos que derrubar tudo e começar do zero, construindo uma sociedade baseada em ideais mais igualitários.

Elas pregam uma completa abolição do conceito de gênero. Isso inclui a ideia de que pessoas que não se encaixam em padrões normalmente associados a seu sexo biológico não precisem fazer cirurgia ou se adaptar a convenções: elas devem, simplesmente, ser respeitadas como são e pelo que são – por isso, às vezes, radicais são confundidas com transfóbicas. Na verdade, o que diz a teoria é que em um mundo em que os genitais sejam uma característica como outra qualquer, que não esteja atrelada ao gênero, nem sequer faz sentido pensar em transexualidade. Para as radicais, não se deve criar novas categorias de gênero – todas elas aprisionantes em algum grau – mas buscar-se uma organização social em que qualquer comportamento decorra de escolha, e não de imposições sociais advindas do gênero.

Outra coisa importante para as feministas radicais é quebrar padrões de beleza e comportamento. Para elas, rituais de beleza enfatizam os aspectos físicos da mulher em detrimento de suas capacidades intelectuais, resultando em objetificação e em menor disponibilidade de tempo para uma participação social mais ativa. Elas também se opõem à prostituição e à pornografia, pois acreditam que são ferramentas dos homens para transformar a mulher em um objeto sexual. Ou seja: a liberalização sexual deve ter limites. Importante frisar que, uma vez que o olhar das radicias é social, a crítica é sempre às instituições e nunca ao indivíduo. Assim, critica-se a prostituição e a pornografia, mas nunca as prostitutas ou atrizes pornôs.

Algumas correntes do feminismo radical (porque ele não é um movimento único e engessado, assim como os demais) acreditam que a mulher tem uma superioridade moral em relação ao homem e que características femininas podem enriquecer a sociedade. É o caso de autoras consagradas como Virginia Woolf e Charlotte Perkins Stetson Gilman. Outras chegam até a defender que, como forma de protesto contra o machismo, as mulheres adotem um lesbianismo político e se relacionem amorosamente somente entre si, além de terem uma postura agressiva com relação aos homens.

A grande crítica que as radicais enfrentam é a de tutelar exageradamente a liberdade da mulher e ignorar que, para indivíduos diferentes, com experiências diferentes, podem funcionar regras diferentes. Principalmente as prostitutas e atrizes pornôs as censuram por não escutar a experiência de quem diz encontrar libertação e empoderamento na prostituição, na pornografia e até na depilação.

MAIS RESPOSTAS E: FEMINISMO INTERSECIONAL

Eita corrente ambiciosa! O feminismo intersecional quer abraçar todas as opressões que podem se intersecionar na vida de uma mulher, considerando todas as realidades possíveis – e está aí a origem de seu nome. Ou seja, não basta pensar na mulher como uma categoria única, engessada. As necessidades das mulheres variam de acordo com sua história, condições materiais, aparência física, raça, orientação sexual e um monte de coisas mais.

É o feminismo socialista elevado a um novo nível, um nível que tenta abarcar não apenas as opressões de classe, mas todas as opressões, para criar uma sociedade igualitária até os limites. Por isso, feministas intersecionais tendem a escrutinar as realidades que analisam sob diversos pontos de vista e não aceitam respostas únicas para nada. Sugerem um esforço de sair da própria pele e pensar na experiência do outro, reconhecendo os próprios privilégios, e, assim, alimentar alianças entre mulheres com diferentes aparências, histórias, credos e classes sociais.

Para elas, tudo depende do contexto da mulher analisada. Não há uma identidade única que defina o que é "ser mulher" ou regras morais gerais. "Apesar de todas as mulheres terem algumas bandeiras comuns, como a luta pelo direito ao aborto, por exemplo, uma mulher negra precisa de coisas muito diferentes de uma mulher branca, assim como uma mulher pobre de uma rica etc. Aliás, na própria questão do aborto, "quem morre em clínicas ilegais, na realidade, são mulheres pobres e, em sua maioria, negras" – diria uma intersecional. O feminismo intersecional só faz sentido se embaixo de suas asas existirem também o feminismo negro, o feminismo de classe, o feminismo lésbico, o transfeminismo, e assim por diante.

É possível traçar as origens dessa corrente até o movimento antiescravidão nos EUA, quando a ex-escrava Sojourner Truth fez um belo discurso exaltando as diferenças entre as mulheres, entrando para a história: "Ninguém me ajuda a entrar em carruagens ou a atravessar poças de lama, nem sequer me dá o melhor lugar para sentar! E eu não sou uma mulher?". Mulheres brancas dispostas a desprender-se de seus privilégios também foram importantes ícones dessa corrente (e o são ainda hoje) como as irmãs americanas Angelina e Sarah Grimké, que fizeram uma verdadeira cruzada contra a escravidão, abolindo alianças com sua raça e classe em nome da irmandade feminina.

A principal crítica feita às intersecionais é que, no afã de analisar a complexidade da condição da mulher, elas se deixam paralisar por um academicismo excessivo e que a necessidade de apontar privilégios o tempo todo faz com que algumas mulheres brancas de classe alta não se sintam bem-vindas nesses círculos, mas isso se dá, em geral, quando há excessos e não quando se usam essas reflexões de forma honesta e inteligente.

E aí, qual seu resultado? Quer saber a verdade? Mesmo eu que desenvolvi o teste não cheguei a resultado nenhum e vivo empatando entre diversas correntes. É o que alertamos no começo deste capítulo: não se trata de pertencer a uma turma, mas de um exercício para reconhecer que todas as correntes têm coisas válidas e se complementam.

APRENDA MAIS SOBRE O TEMA

Pode nem parecer, mas só pra fazer este teste a gente leu esta porção de livros e artigos aí abaixo. Deixamos todos aqui listados caso você queira mergulhar mais no assunto.

- *Raewyn Connell e Rebecca Pearse* – GÊNERO: UMA PERSPECTIVA GLOBAL
- *Flávia Biroli e Luis Felipe Miguel* – FEMINISMO E POLÍTICA
- *Bonnie J. Morris* – WOMEN'S HISTORY FOR BEGGINERS
- *Estelle B. Freeman* – NO TURNING BACK: THE HISTORY OF FEMINISM AND THE FUTURE OF WOMEN
- *Simone de Beauvoir* – O SEGUNDO SEXO
- *Sonia E. Alvarez* – ARTIGO "PARA ALÉM DA SOCIEDADE CIVIL: REFLEXÕES SOBRE O CAMPO FEMINISTA"

SORORIDADE: A UNIÃO FAZ A FORÇA

LETÍCIA BAHIA

Quando minha avó era menina, seu pai saiu de casa e foi viver com outra mulher. Ela nasceu em 1917, quando o mundo ainda se assombrava com a Primeira Guerra Mundial (1914-1918) e quando o feminismo, no Brasil, estava entre as mais altas transgressões. Fico imaginando o que não deve ter sido para ela, nesse contexto, ter crescido como a filha da desquitada. Seria fácil compreender que ela cresceu odiando seu pai, o homem que arruinou sua mãe e que garantiu que os olhares dos vizinhos sempre apontassem suas lanças para aquela família. Mas essa não é a verdade. A verdade, mais dura e difícil de decifrar, é que, aos olhos de minha avó, essa era uma história com duas vilãs – a destruidora de lares e a incompetente – e um mocinho, coitado, incapaz de resistir aos decotes da outra.

Engana-se quem pensa que versões como essa vivem apenas nas cabeças grisalhas de algumas senhoras. A rivalidade feminina, esse legado do patriarcado, se reproduz feito coelho, vestindo o disfarce da normalidade para que a gente não se dê conta de quando veste a carapuça. A ideia tem, por exemplo, inúmeras representações na mitologia grega. Seguimos traduzindo o feminino a partir da vaidade desmedida de Afrodite, da vingança implacável de Hera contra Hércules, fruto de uma das traições de seu marido Zeus, do olhar impiedoso da Medusa. Ah, como são más e ardilosas as mulheres! Devemos mesmo desconfiar umas das outras! O chavão é repetido na Bíblia (o livro mais lido do mundo), nos desenhos da Disney (quem não se lembra de Malévola, Úrsula e Cruela?), na cultura pop (Britney Spears sodomiza, explode e chicoteia morenas no clipe de Work Bitch). A mídia também joga o jogo reproduzindo sem problematizar narrativas em que as mulheres são sempre rivais. Quando Brad Pitt e Jennifer Aniston romperam e ele engatou o romance com Angelina Jolie, vendiam-se até camisetas pra quem quisesse escolher seu "lado" na "torcida" pela loira ou pela morena, em um exemplo que não poderia ser mais didático de que, sim, rivalidade feminina, literalmente, vende.

 Lady Di também ganhou uma inimiga dos tabloides: Camila Parker-Bowles, a segunda esposa do príncipe Charles e mulher que o Reino Unido aprendeu a odiar. Isso sem entrar no universo das novelas brasileiras, porque aí vai faltar dedo pra contar quantas vezes já não assistimos versões do triângulo amoroso duas-amigas-e-um-cara. A fórmula é tão gasta que, em 2000, Manoel Carlos precisou reinventar o tema botando mãe e filha pra se estapearem pelo bonitão da vez na novela Laços de Família. Com esse treinamento intensivo pra gente se odiar, não é de se espantar que tão facilmente a gente caia na armadilha de chamar de puta (que, aliás, é profissão, não ofensa) aquela menina que agora está saindo com seu ex, ou de manter o olho aberto e o desconfiômetro no máximo quando chega na mesa do bar aquela amiga que adora abraçar os caras. O treino social é forte, porque pega pelo estômago, e a cabeça sozinha não dá conta de desfazer o estrago. Ainda bem que o feminismo já inventou o remédio.

Sororidade é a palavra de origem francesa que se refere às mulheres não como inimigas, mas como uma irmandade. Também temos ouvido a versão americana abrasileirada: sisteragem. A beleza aqui está em recusar as armas do patriarcado e vencê-lo com amor. Explico: a rivalidade feminina contribui para manter os homens no poder, na medida em que dificulta a articulação das mulheres. É uma versão cultural de um conceito de guerra, aplicado primeiramente por César no Império Romano: dividir para conquistar, ou seja, fomentar a ruptura das estruturas de poder existentes e impedir que grupos menores se juntem. O pulo do gato do feminismo, nesse sentido, tem sido deixar a rivalidade feminina morrer de inanição e virar mito, resgatando os medos, anseios e desejos que temos em comum. Se o patriarcado quer dividir para conquistar, o feminismo crava que a união faz a força.

Algumas pessoas confundem sororidade com tolerância absoluta. "Então eu não posso mais criticar uma mulher?", perguntam. Pode, você pode criticar uma pessoa de qualquer gênero se ela falar bobagem ou errar, como todos nós erramos. A questão é fazer essa crítica de maneira empática, compreendendo que talvez alguns equívocos de certas mulheres sejam fruto de uma cultura que nos oprime a todas. Quando a gente compreende que ela não é minha inimiga, que ela, assim como eu, tem medo de andar sozinha à noite, que se sente pressionada pela família a encontrar um parceiro e ter filhos, que não é livre para exercer sua sexualidade como bem entender, que recebe salários inferiores aos de seus pares homens, então a crítica vira elemento de transformação, não de destruição.

Veja o caso de Sara Winter, a fundadora do Femen Brasil, que hoje milita contra o aborto e andou se aproximando de Jair Bolsonaro: o que não falta é gente chamando a moça de louca, oportunista, aproveitadora (críticas clássicas do patriarcado, não é?). Eu é que não me atrevo a dizer o que motiva alguém que eu nunca vi na vida, mas se vamos construir narrativas sobre Sara Winter, talvez uma versão mais sororitária – já inventando moda e conjugando a expressão – seja pensar que ela, tendo militado em um movimento extremista desde os 17 anos, tendo feito um aborto em um país que criminaliza e repudia o procedimento, talvez carregue no peito um sofrimento tal que a levou a dizer algumas coisas que a gente acha bobagem, porque gente machucada, um pouco como bicho ferido, agride, tropeça, fala sem pensar. Deve ter sido duro, Sara, e eu sinto muito.

Cultivar a sororidade é um exercício diário. Que a gente possa dizer àquela nossa amiga que foi traída que quem assumiu compromisso com ela foi o cara, e com a outra que está a fim de moço compromissado, que a gente possa pensar juntas se o sentimento é grande o suficiente pra fazer valer a pena uma história com um cara que já de saída se mostra desonesto, sempre botando na balança que na outra ponta haverá um coração sangrando. Que as pequenas não precisem escolher qual é a boneca mais bonita, porque mais legal é todas brincarem juntas. Que a gente diga "não" aos concursos que elegem a Globeleza da vez, e se sente com a irmã negra pra ouvir suas histórias sobre como é ser "da cor do pecado" e ter "cabelo ruim". E, sobretudo, que a gente tenha força e serenidade pra segurar aquele ímpeto de devolver com pedradas o comentário sexista de uma mulher e lembrar, sempre, que com todas as nossas diferenças nós somos, sim, irmãs na luta por igualdade.

FEMINISMO É PECADO?

SIMONY DOS ANJOS

Sou uma cristã feminista e sempre sou questionada sobre uma possível incompatibilidade entre minha fé e minha militância. Não são uma nem duas meninas que sempre me abordam com dúvidas e desconforto entre a fé que professam e desejo que têm para si, enquanto mulheres. Outro dia, nessa discussão sobre meninas religiosas e o feminismo, deparei com a seguinte fala de Kristen Clark, uma *digital influencer* americana de 32 anos, que versava sobre cristianismo e feminismo:

> Em sua raiz, o feminismo é construído sobre uma fundação completamente desprovida de Deus. O movimento feminista é tecido com o mesmo pecado cometido por Satanás no início dos tempos. Um coração rebelde que orgulhosamente diz: "Eu não preciso de você, Deus. Obrigado, mas eu vou fazer as coisas do meu jeito".

E me dei conta de como essa fala reproduz uma velha tática da Igreja Cristã para garantir que as mulheres sejam extremamente submissas às leis humanas: demonizar as resistências femininas. Pois bem, para você que é uma moça cristã (católica ou evangélica) e sempre ouviu que feminismo é pecado, me dê uma chance, eu gostaria de falar um pouco com você. Além de defender que feminismo não é pecado, eu gostaria de apresentar a você várias mulheres religiosas que lutaram por seus direitos, rompendo com a supremacia masculina da fé.

Assim, o primeiro passo para esse caminho da desconstrução do "pecado do feminismo" é ver em que medida a defesa dos papéis de homem e mulher são a vontade de Deus, e em que medida são a manutenção de um sistema criado por homens para homens, que acham que tudo está bem como está.

Você já percebeu que a demonização do feminismo se dá sempre que alguma instância de poder ocupada por homens é questionada por mulheres?

Veja essa história relatada no livro bíblico de Números 27, 1-7, na qual as filhas de Zelofeade – Maalá, Noa, Hogla, Milca e Tirza – não poderiam herdar a terra prometida do seu pai, pois como ele não tinha filhos homens, não teria um herdeiro legítimo. Os homens judeus, naquele momento, queriam distribuir as terras de Zelofeade para os outros patriarcas, porque as mulheres eram consideradas incapazes de administrar qualquer tipo de propriedade. As filhas de Zelofeade, vendo que sua família não teria uma parte da promessa divina, questionaram Moisés quanto a sua herança. Após o pedido das cinco mulheres, Moisés consulta Deus, em oração, e Deus responde:

> As filhas de Zelofeade falam o que é justo; certamente lhes darás possessão de herança entre os irmãos de seu pai; e a herança de seu pai farás passar a elas. (Números 27,7)

Se dependesse da vontade dos homens judeus, essas mulheres não teriam direito à terra, mas quando Moisés consulta Deus, a resposta que obtém é que Maalá, Noa, Hogla, Milca, e Tirza estavam certas e que deviam ser contempladas com a terra. Se pensarmos em termos atuais, elas reivindicavam igualdade de gênero, e Deus disse: Sim! Aposto que você nunca ouviu essa interpretação desse texto e, mais, aposto que pode nem ter ouvido sobre ele em uma pregação na sua igreja.

Inspirada por essas mulheres que ousaram questionar Moisés, gostaria de apresentar a você outras possibilidades de vivência da fé, nas quais as mulheres não precisem abrir mão do protagonismo de suas vidas. É justamente por amar a Deus que não aceitam ser subjugadas. Afinal, se Ele habita em nós, nossos corpos têm o mesmo valor que o corpo de um homem. Eu não fui a primeira a pensar a fé nessa perspectiva feminista, e não serei a última. Está pronta para conhecer Juana Inés, Sojourner Truth, Elizabeth Cady Stanton, Frida Maria Strandberg Vingren e Ivone Gebara?

Juana Inés era uma intelectual de alto quilate, grande conhecedora dos filósofos gregos, dos teólogos católicos e das ciências. Nasceu em 1651, na colônia espanhola do México e, para poder estudar, candidatou-se a dama de companhia da Corte espanhola. Quando passou a ingressar a Corte, Juana tornou-se freira unicamente para poder passar os dias lendo e escrevendo, pois a ela foi negada a possibilidade de ingressar na universidade. Profunda conhecedora da Bíblia, ousou debater teologia – uma atividade proibida para mulheres – e por tal produção intelectual foi perseguida. É uma história que inspira a nós, religiosas cristãs, sempre tão tolhidas no mundo secular e, principalmente, nas Igrejas Cristãs. Disse Sor Juana Inés: "Meu único pecado foi ser mulher, em um mundo de homens", e a ela ainda fazemos coro, quase 400 anos depois.

A história é potente para pensarmos dois aspectos da vida feminina subjugada: a sexualidade e o livre pensamento. Como esposa de Cristo, ela devia manter castidade; contudo, transpirou todo o desejo e a potência do corpo em seus poemas, nos quais revelou sua paixão por Lisy, a Marquesa de La Laguna. Juana e Lisy protagonizam um lindo romance no qual é evidenciada a potência do amor entre mulheres em um mundo que atribuía a elas apenas o dever de procriar e lhes negava o prazer do gozo, com o qual Deus presenteou a humanidade.

Ao romper com as amarras que a impediam de aprender e produzir teologia, Juana Inés traz consigo a imagem de uma mulher livre: sexualmente e intelectualmente – um escândalo para a época! No poema "Hombre Necio", a Décima musa – um de seus apelidos – diz que "Homens néscios que acusais/ à mulher sem ter razão,/ sem ver que sois a ocasião/ do mesmo que vós culpais..." Corajosamente Juana acusa os homens de causarem todo o mal que atribuem às mulheres, cobrando responsabilidade por suas atitudes e recusando a pecha de pecadoras e eternas devedoras da humanidade. Juana Inés morreu em 1695.

Em 1797, nasceu, nos Estados Unidos, Sojourner Truth, mulher negra escravizada que mudaria os ânimos do movimento sufragista americano. Ela destoa da maioria dos nomes que se destacam na primeira onda do feminismo, que emerge no final do século 19, protagonizado por mulheres brancas preocupadas com seus direitos civis, em detrimento das necessidades das mulheres nativas e das mulheres negras escravizadas. Desse modo, Truth aponta que o movimento sufragista era limitado, ao proferir o discurso *Ain't I a Woman?* (Não sou eu uma mulher?), na Convenção dos Direitos da Mulher de Akron, Ohio, em 1851. Para Angela Davis, no livro *Mulheres, raça e classe*, "ao repetir sua pergunta, 'Não sou eu uma mulher?', nada mais do que quatro vezes, ela expunha o viés de classe e o racismo do novo movimento de mulheres".

Há, contudo, um lado de Truth sobre o qual pouco se sabe: como a maioria das pessoas trazidas de África, Truth passou pelo processo de cristianização forçada. Ela se converteu ao cristianismo, mas não lhe bastou ouvir sermões que defendiam a inferioridade do povo negro e das mulheres. Truth ousou fazer sua própria interpretação da Bíblia, abrindo portas para o que se chamou de Teologia Negra, que tem como um de seus grandes ícones o Reverendo Martin Luther King. Afrontou o patriarcado ao declarar: "Daí aquele homenzinho de preto ali disse que a mulher não pode ter os mesmos direitos que o homem, porque Cristo não era mulher! De onde o seu Cristo veio? De onde o seu Cristo veio? De Deus e de uma mulher! O homem não teve nada a ver com isso".

Sojourner Truth, ou Peregrina da Verdade, que era seu nome de pregadora cristã, saiu pelo país defendendo a causa negra e das mulheres. Ela foi também a primeira mulher a ganhar um processo contra um homem branco em uma corte estadunidense, ao recuperar a guarda de seu filho, vendido como escravo ilegalmente. Seu nome era, na verdade, Isabella Baumfree – a mulher negra que ousou dizer o que pensava da Bíblia no Estados Unidos de Abraham Lincoln.

Em 1815, nasceu Elizabeth Cady Stanton que, em 1895, criou uma versão da Bíblia baseada na experiência feminina da religião protestante, cometendo um ato revolucionário que possibilitou uma interpretação não ortodoxa e contrária ao discurso religioso da subserviência da mulher. A teóloga e sufragista ousou confrontar o patriarcado com sua fé e outra possibilidade de leitura dos dogmas cristãos.

Em 1891, nasceu Frida Maria Strandberg Vingren, na Suécia, criada em uma família de crentes luteranos. Em 1917, chegou ao Brasil e se casou com um homem que fundou, em Belém do Pará, a Assembleia de Deus. Em 1924, foi para o Rio de Janeiro e tornou-se a primeira mulher a dirigir uma Escola Bíblica Dominical. Frida se destacou como pregadora contumaz da Bíblia e grande questionadora da ausência de mulheres nos púlpitos e nas instâncias decisórias da Igreja. Foi, também, fundadora do *Jornal Som Alegre*, no qual defendeu o ministério feminino.

Em 1932, ela retornou à Suécia e, de forma violenta e desumanizadora, foi detida na estação de trem de Estocolmo, de onde saiu com uma camisa de força em direção ao hospital psiquiátrico. Ela foi enlouquecida para que se calasse e não tivesse a possibilidade de ser uma voz dissonante na Igreja. No dia 30 de setembro de 1940, Frida morreu na Suécia, internada em um sanatório. Estava tão debilitada que pesava 30 quilos. Porém, antes disso, a Igreja lhe tomou a guarda dos filhos e doou todos os seus bens.

Na contemporaneidade, haveria muitas mulheres a citar, entretanto, escolho uma que sofreu um castigo que é um bom exemplo do que os homens que regem a Igreja querem fazer conosco: Ivone Gebara. Em 1995, a teóloga foi processada e condenada pelo Vaticano ao silêncio obsequioso (uma das penas previstas pelo direito canônico, aplicada pela Santa Sé de Roma), na qual a pessoa penalizada tem que ficar por um período sem se manifestar publicamente, por fazer críticas à doutrina da Igreja Católica, especialmente em defesa da legalização do aborto.

Gebara compõe o que chamamos de Teologia Feminista, que aprofundou o entendimento da Teologia da Libertação (corrente teológica que defende os pobres e os excluídos da sociedade), para a defesa da vida das mulheres e contra todo machismo eclesiástico. Se a Teologia da Libertação olhava para os pobres, não enxergava que entre esses pobres quem mais era oprimida era sua face feminina. Sendo assim, mulheres teólogas, como Gebara, começaram a produzir uma Teologia a partir da vivência de mulheres que lutavam contra o patriarcado.

Querer calar a voz de uma religiosa feminista não é um acontecimento raro. Esse mesmo mecanismo de calar para o entendimento teológico cala as denúncias de mulheres que sofrem diariamente violências físicas e psicológicas em nome de Deus. Um Deus-macho que não olha e nem se compadece das mulheres. Um erro. Na leitura feminista da Bíblia, enxergamos que as narrativas exaltadas e repetidas nas igrejas foram narrativas escritas por homens e para homens. A interpretação desses textos é feita no afã de castigar o corpo feminino, um corpo que sangra e não morre, como o corpo de Cristo.

As religiosas feministas, como eu, encontram em Maria de Betânia a grande seguidora de Jesus, a quem Ele fala que devemos imitar, em memória dela, por sua devoção e lealdade (Lc 7,37). Para nós, Hagar vê a Deus e Ele a favorece, ao contrário do que fez Abraão (Gn 21). Para nós, Deus é mãe, Ruah é Mulher e o filho saiu de uma mulher. Uma mulher é a mãe de Deus!

As religiosas feministas acreditam que a vivência da fé é constituidora da subjetividade. A quem foi ensinado a crer, é muito difícil negar a fé. Contudo, fé e religião são coisas absolutamente diferentes. Nós decidimos não usar nossa fé para oprimir, pois acreditamos que fomos chamadas para a liberdade (Gl. 5,1).

Desse modo, optamos por reimaginar Deus e a sua face, pois se o Deus-patriarcal tem sido há séculos ferramenta de subjugação dos corpos femininos, Deus-mãe nos dá força para lutar pela vida de todas as mulheres. O estudo, o conhecimento, o pensar, que fizeram dessas mulheres grandes profetas, são a nossa ferramenta de libertação e amor à vida.

E, ainda assim, você pode me perguntar sobre o que Kristen disse sobre a fundação do feminismo ser completamente desprovida de Deus: é isso mesmo? Sim, é isso. Por que o feminismo versa sobre direitos de quem acredita e de quem não acredita em Deus. Contudo, não existe uma regra do feminismo que diz que pessoas que acreditam em Deus não podem lutar por direitos civis. Se lá no livro bíblico de Números temos mulheres que lutaram por direito à herança, se vimos tantas outras mulheres que lutaram por voz e direito ao estudo da Bíblia, por que não podemos, nós, lutar?

Se Deus entendeu e ouviu as filhas de Zelofeade, que desafiaram todos os líderes do povo judeu e as leis vigentes em seu tempo, por que ele não ouviria as mulheres feministas? Se você me perguntar: "Fazer parte do movimento feminista, é pecado?", eu te respondo que não, não é pecado. Pois Deus nos deu o dom de pensar e, quando pensamos, nos libertamos das amarras do machismo. Esse, sim, é pecado. Um pecado que tem causado a morte e o sofrimento de milhões de mulheres, e aposto que Deus não aprova toda essa violência que o patriarcado tem exercido sobre nós!

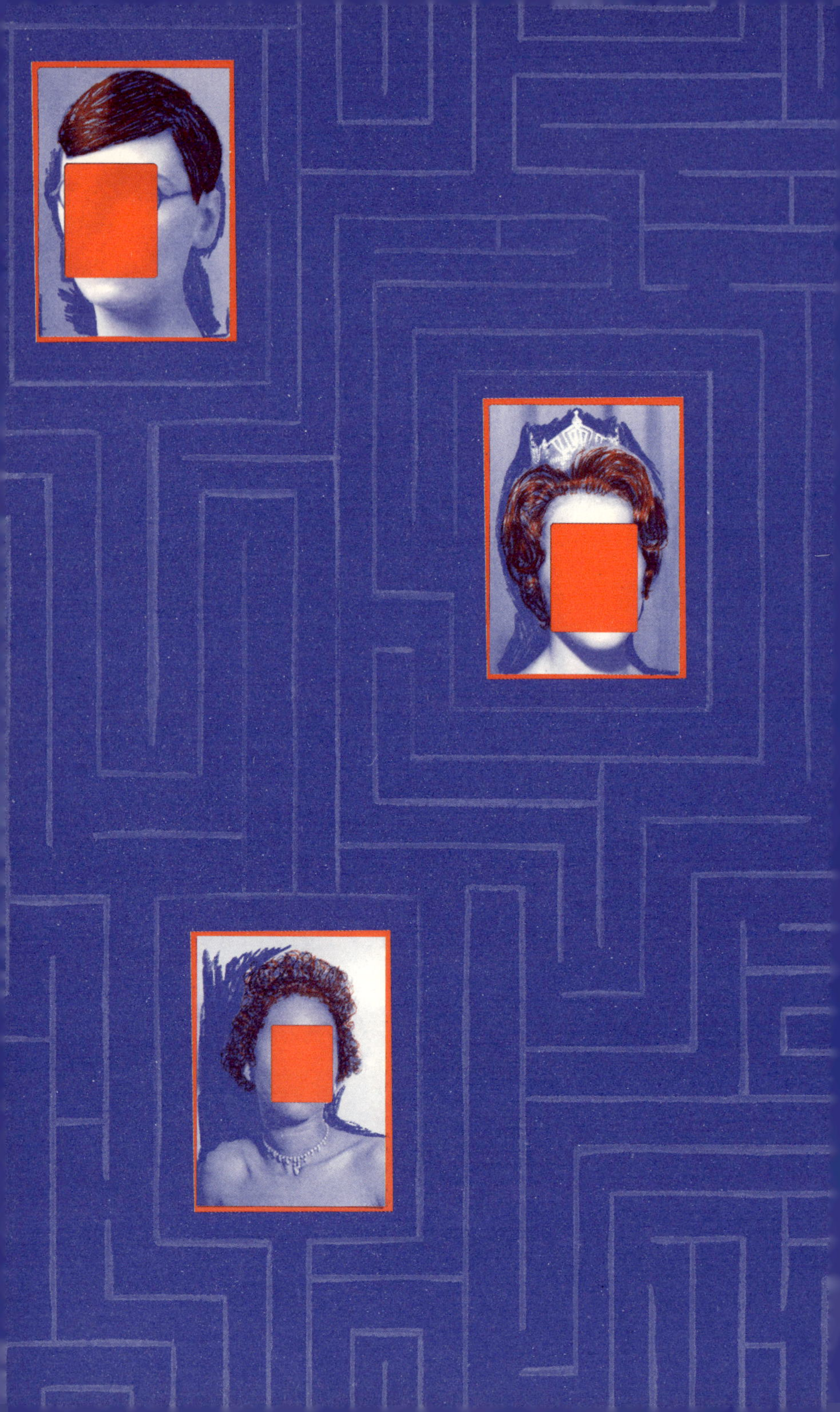

parte II
IDENTIDADES

GUIA INCLUSIVO DOS MUITOS GÊNEROS

JAQUELINE DE JESUS

Bem-vindo(a)! Qual é o seu gênero?

Cada um(a) de nós é uma pessoa única, mas que tem características comuns a toda a humanidade. Elas nos identificam com alguns e nos tornam diferentes de outros, como a região em que nascemos e crescemos, nossa raça, classe social, se temos ou não uma religião, idade, nossas habilidades físicas, entre outras que marcam a diversidade humana. Entre essas dimensões, este guia se foca na do gênero.

Relembre sua formação pessoal: desde criança você foi ensinado(a) a agir e a ter uma determinada aparência, de acordo com seu sexo biológico. Se havia ultrassonografia, esse sexo foi determinado antes de você nascer. Se não, foi no seu parto.

Crescemos sendo ensinados que "homens são assim e mulheres são assado", porque "é da sua natureza", e costumamos realmente observar isso na sociedade. Entretanto, o fato é que essas diferenças são construídas socialmente.

Como as influências sociais não são totalmente visíveis, parece para nós que as diferenças entre homens e mulheres são "naturais", totalmente biológicas, quando, na verdade, boa parte delas é influenciada pelo convívio social.

Além disso, a sociedade em que vivemos dissemina a crença de que os órgãos genitais definem se uma pessoa é homem ou mulher. Porém, a construção da nossa identificação como homens ou como mulheres não é um fato biológico, é social.

Mulheres de países nórdicos têm características que, para nossa cultura, são tidas como masculinas. Ser masculino no Brasil é diferente do que é ser masculino no Japão ou mesmo na Argentina. Há culturas para as quais não é o órgão genital que define o sexo. Sexo é biológico, gênero é social, construído pelas diferentes culturas.

Ao contrário da crença comum hoje em dia adotada por algumas vertentes científicas, entende-se que a vivência de um gênero (social, cultural) discordante do que se esperaria de alguém de um determinado sexo (biológico) é uma questão de identidade, e não um transtorno. Esse é o caso das pessoas conhecidas como travestis e transexuais, que são tratadas, coletivamente, como parte do grupo que alguns chamam de "transgênero", ou mais popularmente, trans.

TRANSGENER(AL)IDADES

Todos os seres humanos podem ser enquadrados (com todas as limitações comuns a qualquer classificação) como transgênero ou cisgênero. Chamamos de cisgênero, ou de "cis", as pessoas que se identificam com o gênero que lhes foi atribuído ao nascer. Denominamos as pessoas não cisgênero as que não se identificam com o gênero que lhes foi determinado: transgênero, ou trans.

No Brasil, ainda não há consenso sobre o termo, vale ressaltar. Há quem se considere transgênero, como uma categoria à parte das pessoas travestis e transexuais. Existem ainda as pessoas que não se identificam com qualquer gênero, não há consenso quanto a como denominá-las. Alguns utilizam o termo *queer*, outros, a antiga denominação "andrógino", ou reutilizam a palavra transgênero.

Historicamente, a população transgênero ou trans é estigmatizada, marginalizada e perseguida, devido à crença de que o "natural" é que o gênero atribuído ao nascimento seja aquele com o qual as pessoas se identificam. Em nosso país, o espaço reservado a homens e mulheres transexuais, e a travestis, é o da exclusão extrema, sem acesso a direitos civis básicos, nem sequer ao reconhecimento de sua identidade.

Violências físicas, psicológicas e simbólicas são constantes. De acordo com a organização internacional Transgender Europe, no período de 10 anos entre 2008 e 2018 (números até 30 de setembro), 2.982 pessoas trans foram assassinadas no mundo, e o Brasil lidera o ranking, com 1.238 homicídios. A maioria das vítimas são mulheres transexuais e travestis.

Tem sido utilizado o termo "transfobia" para se referir a preconceitos e discriminações sofridos pelas pessoas transgênero, de forma geral.

Muito ainda tem de ser enfrentado para se chegar a um mínimo de dignidade e respeito à identidade das pessoas transexuais e travestis para além dos estereótipos. E não podemos esquecer que a pessoa trans vivencia outros aspectos de sua humanidade, para além dos relacionados à sua identidade de gênero. As pessoas trans, como quaisquer seres humanos, podem ter diferentes cores, etnias, classes, origens geográficas, religiões, idades, orientações sexuais, uma rica história de vida, entre outras características.

GÊNERO E ORIENTAÇÃO SEXUAL – UM ESCLARECIMENTO

Gênero se refere a formas de se identificar e ser identificada, como homem ou como mulher. Orientação sexual se refere à atração afetivossexual por alguém de algum/ns gênero/s. Uma dimensão não depende da outra, não há uma norma de orientação sexual em função do gênero das pessoas, assim, nem todo homem ou mulher é "naturalmente" heterossexual. O mesmo se pode dizer da identidade de gênero: não corresponde à realidade pensar que toda pessoa é naturalmente cisgênero.

Tal qual as demais pessoas, uma pessoa trans pode ser bissexual, heterossexual ou homossexual, dependendo do gênero que adota e do gênero com relação ao qual se atrai afetivossexualmente: mulheres transexuais que se atraem por homens são heterossexuais; homens transexuais que se atraem por mulheres também o são, por exemplo.

PESSOAS TRANSEXUAIS

A transexualidade é identificada ao longo de toda a História e no mundo inteiro. A novidade que o século 20 trouxe para as pessoas transexuais foi sobre os avanços médicos, que lhes permitiram adquirir uma fisiologia quase idêntica a de mulheres e homens cisgênero.

As pessoas transexuais lidam de formas diferentes, e em diferentes graus, com o gênero com o qual se identificam. Uma parte das pessoas transexuais reconhece essa condição desde pequenas, outras, tardiamente, pelas mais diferentes razões, em especial as sociais, como a repressão.

A verdade é que ninguém sabe, atualmente, por que alguém é transexual, apesar das várias teorias. Alguns dizem que a causa é biológica, outras que é social, outras que mistura questões biológicas e sociais. Vale dizer o mesmo para as pessoas cisgênero.

O que importa com relação à transexualidade é que ela não é uma benção nem uma maldição, é mais uma identidade de gênero, como ser cissexual.

Cada pessoa transexual age de acordo com o que reconhece como próprio de seu gênero: mulheres transexuais adotam nome, aparência e comportamentos femininos, querem e precisam ser tratadas como quaisquer outras mulheres. Homens transexuais adotam nome, aparência e comportamentos masculinos, querem e precisam ser tratados como quaisquer outros homens.

Pessoas transexuais geralmente sentem que seu corpo não está adequado à forma como pensam e se sentem, e querem "corrigir" isso adequando-o à imagem de gênero que têm de si. Algumas delas se submetem a uma cirurgia de transgenitalização – adequação cirúrgica do órgão genital à imagem que a pessoa tem dele – mas outras não. Ao contrário do que se costuma pensar, o que determina a identidade de gênero transexual é a forma como as pessoas se identificam, e não um procedimento cirúrgico. Em decorrência disso, muitas pessoas que hoje se reconhecem ou são taxadas como travestis seriam, na teoria, transexuais.

Para a pessoa transexual, é imprescindível viver integralmente, exteriormente, como ela é por dentro, seja na aceitação social e profissional do nome pelo qual ela se identifica, no uso do banheiro correspondente à sua identidade de gênero, e outros aspectos.

AS TRAVESTIS

O termo "travesti" é antigo, muito anterior ao conceito "transexual", e por isso muito mais utilizado e consolidado em nossa linguagem, quase sempre em um sentido pejorativo. A nossa sociedade tem estigmatizado fortemente as travestis, que sofrem com a dificuldade de serem empregadas, mesmo que tenham qualificação, e acabam, em sua maioria, sendo excluídas das escolas, repudiadas no mercado de trabalho formal e forçadas a sobreviverem na marginalidade, em geral como profissionais do sexo. Entretanto, é fundamental reforçar que nem toda travesti é prostituta.

É importante ressaltar que a maioria delas, independentemente da forma como se reconhecem, preferem ser tratadas no feminino, considerando um insulto serem adjetivadas no masculino.

Entende-se, nesta perspectiva, que são travestis as pessoas que vivenciam papéis de gênero feminino, ainda que não se reconheçam como homens ou mulheres, e sim como membros de um terceiro gênero ou de um não-gênero.

CROSSDRESSERS

O termo se refere a homens heterossexuais que não buscam reconhecimento e tratamento de gênero (não são transexuais), mas têm por hábito se vestirem como mulheres temporariamente. A vivência do crossdresser geralmente é doméstica, com ou sem o apoio de suas companheiras, obtendo satisfação emocional ou sexual momentânea ao se caracterizarem assim, diferentemente das travestis, que vivem integralmente de forma feminina.

DRAG QUEEN/KING, TRANSFORMISTA

Artistas que fazem uso de feminilidade estereotipada e exacerbada em apresentações são conhecidos como drag queens, ou seja, homens fantasiados de mulheres. No mesmo sentido, mulheres caracterizadas de forma caricata como homens são drag kings. Drag queens/king vivenciam a inversão do gênero como diversão, entretenimento e espetáculo, não como identidade.

GLOSSÁRIO DE TERMOS INCLUSIVOS

Escrever ou falar conforme um vocabulário reconhecido pelas pessoas representadas é essencial para valorizar a cidadania. Reforçando: com relação a pronomes, as pessoas transgênero devem ser tratadas de acordo com o gênero com o qual se identificam. Se você não está certo(a), pode perguntar, respeitosamente, como a pessoa prefere ser tratada, e tratá-la dessa forma.

GÊNERO Classificação pessoal e social das pessoas como homens ou mulheres. Orienta papéis e expressões de gênero. Independe do sexo.

SEXO Classificação biológica das pessoas como machos ou fêmeas, baseada em características orgânicas como cromossomos, níveis hormonais, órgãos reprodutivos e genitais. Ao contrário da crença popular, não existem apenas dois sexos.

EXPRESSÃO DE GÊNERO Forma como a pessoa se apresenta, sua aparência e seu comportamento, de acordo com expectativas sociais. Depende da cultura em que a pessoa vive.

IDENTIDADE DE GÊNERO Gênero com o qual uma pessoa se identifica, que pode ou não concordar com o gênero atribuído quando nasceu. Diferente da sexualidade da pessoa.

PAPEL DE GÊNERO Modo de agir em determinadas situações conforme o gênero atribuído, ensinado às pessoas desde o nascimento. É de cunho social, e não biológico.

CISGÊNERO Conceito "guarda-chuva" que abrange as pessoas que se identificam com o gênero que lhes foi determinado em seu nascimento.

TRANSGÊNERO Conceito "guarda-chuva" que abrange o grupo diversificado de pessoas que não se identificam, em graus diferentes, com comportamentos e/ou papéis esperados do gênero que lhes foi determinado em seu nascimento.

INTERSEXUAL Pessoa cujo corpo varia do padrão de masculino ou feminino culturalmente estabelecido, no que se refere a configurações dos cromossomos (XXX, XXY ou XYY, por exemplo), localização dos órgãos genitais (testículos que não desceram, pênis demasiado pequeno ou clitóris muito grande, final da uretra deslocado da ponta do pênis, vagina ausente), coexistência de tecidos testiculares e de ovários.

A intersexualidade se refere, portanto, a um conjunto amplo de variações dos corpos tidos como masculinos e femininos, que engloba, conforme a denominação médica, hermafroditas verdadeiros e pseudo-hermafraditas.

O grupo composto por pessoas intersexuais tem-se mobilizado cada vez mais, em nível mundial, para que a intersexualidade não seja entendida como uma patologia, e sim como uma variação, e para que os bebês não sejam submetidos, após o parto, a cirurgias ditas "reparadoras", que na verdade os mutilam e que moldam órgãos genitais que não necessariamente concordam com suas identidades de gênero ou orientações sexuais.

ORIENTAÇÃO SEXUAL Atração afetivossexual por alguém. Vivência interna relativa à sexualidade. Diferente do senso pessoal de pertencer a algum gênero.

ASSEXUAL Pessoa que não sente atração sexual por pessoas de nenhum gênero, mas que ainda assim pode querer ter um romance.

BISSEXUAL Pessoa que se atrai afetivo-sexualmente por pessoas dos gêneros feminino e masculino.

PANSSEXUAL Pessoa que se atrai afetivo-sexualmente por indivíduos, independente de identidade de gênero ou sexo.

HETEROSSEXUAL Pessoa que se atrai afetivo-sexualmente por pessoas de gênero diferente daquele com o qual se identifica.

HOMOSSEXUAL Pessoa que se atrai afetivo-sexualmente por pessoas de gênero igual àquele com o qual se identifica.

TRANSEXUAL Pessoa que não se identifica com o gênero que lhe foi atribuído em seu nascimento. Evite utilizar o termo isoladamente, pois soa ofensivo. Sempre se refira à pessoa como mulher transexual ou como homem transexual.

HOMEM TRANSEXUAL Pessoa que reivindica o reconhecimento social e legal como homem.

MULHER TRANSEXUAL Pessoa que reivindica o reconhecimento social e legal como mulher.

QUEER OU ANDRÓGINO OU TRANSGÊNERO Termo ainda não consensual com o qual se denomina a pessoa que não se enquadra em identidades ou expressões de gênero comumente estabelecidas.

BINARISMO Crença construída ao longo da história da humanidade, em uma dualidade simples e fixa entre sexos feminino e masculino em que o sexo determinado ao nascer deveria comandar as expressões de gênero.

TRANSFOBIA Preconceito e/ou discriminação em função da identidade de gênero de pessoas transexuais ou travestis. Não confundir com homofobia.

HOMOFOBIA Medo ou ódio com relação a lésbicas, gays e bissexuais.

HETERONORMATIVIDADE Crença na heterossexualidade como característica do ser humano "normal". Desse modo, qualquer pessoa que saia desse padrão é considerada fora da norma e marginalizada.

DESPATOLOGIZAÇÃO Conceito introduzido por uma campanha internacional pela exclusão da transexualidade, da travestilidade e das manifestações de gênero que escapam à noção binária homem/mulher da Classificação Diagnóstica e Estatística de Doenças – CID, da Organização Mundial de Saúde, e do Manual Diagnóstico e Estatístico das Doenças Mentais – DSM, da Associação Psiquiátrica Americana. No Brasil, a campanha exige a reformulação do processo transexualizador no Sistema Único de Saúde, e a adoção de uma concepção de saúde que atenda as demandas das pessoas trans sem a necessidade de condicionar esse atendimento a um diagnóstico psiquiátrico e/ou psicológico.

**CIRURGIA DE REDESIGNAÇÃO GENITAL/SEXUAL OU DE TRANSGENITA-
LIZAÇÃO** Procedimento cirúrgico por meio do qual se altera o órgão genital da pessoa para criar uma neovagina ou um neofalo. Não enfatizar exageradamente o papel dessa cirurgia no processo transexualizador, do qual ela é apenas uma etapa, que pode não ocorrer.

TRANSFEMINISMO Linha de pensamento e movimento de cunho feminista que reconhece o direito à autodeterminação das identidades de gênero das pessoas transgênero e cisgênero. Acredita que a liberação das mulheres trans está intrinsecamente ligada à liberação de todas as mulheres.

MENSAGEM FINAL

Referindo-me às palavras da bióloga Joan Roughgarden, torço para que nossa sociedade amadureça e, um dia, o fato de uma pessoa se assumir transexual ou travesti não mais seja razão de luto para ela, os familiares e amigos, mas de enorme alegria, quem sabe com direito a uma festa, visto a pessoa estar se encontrando? É uma espécie de segundo nascimento!

TRAVESTIS: UMA IDENTIDADE FORÇADA À PROSTITUIÇÃO

Luísa Marilac

Fica na boca do povo (boca suja, viu!) que travesti é tudo vagabunda e não gosta de trabalhar. Mas, me escuta, deusa, que eu sei das coisas: o que falta é OPORTUNIDADE.

Até parece que nós, travestis e trans, não temos direito a um trabalho digno como todo filho de Deus. Há até empresas que contratam travestis e são empresas sérias, mas é uma minoria. Mesmo nelas você precisa de uma boa recomendação, assim dum pica das galáxias, pra conseguir um emprego. Eu gosto de trabalhar, tenho disposição pra isso. Não atraso, não falto e já fui promovida três vezes num ano só. Mas quem disse que isso me ajuda a ter (ou manter) um trabalho?

Prefiro ter um cargo como vendedora ou algo do tipo a ficar na beira da estrada, e tenho certeza que muita mulher trans está comigo! Michelle Treze, minha amiga de longa data, por exemplo, sairia desse mundo imediatamente se dessem um emprego, qualquer um, pra ela. E minha xará, Luiza, de 28 anos, teve que se sustentar sozinha desde cedo porque a família não aceitava que ela fosse travesti. Pra ela, também, só restaram as ruas.

Não que a prostituição não seja um trabalho digno, eu mesma me sustentei a vida inteira dessa forma. Mas ela tem que ser uma opção e não uma obrigação! Além do mais, é uma tristeza a situação das ruas hoje, deusa. É ali que muitas se entregam à droga, se matam até. Não é qualquer um que aguenta o tranco, não. Nós, travestis, somos muito fortes! Como diz a Adriana Safira, uma travesti negra que diz que sofre mais preconceito pela identidade de gênero que pela cor: "pra todas que começam não é fácil, você precisa ter personalidade, capacidade e moral pra continuar na rua".

Ninguém vai pra rua só pra se drogar e se encher de roupa: é pra pagar a luz, o aluguel, comprar comida. Por mais que não gostemos de nos prostituir, é quase sempre a única opção, infelizmente, já que o preconceito corrói o coração dos empregadores, essa é a verdade.

Veja o meu caso: quando começou a cair a mídia em cima de mim por conta do meu sucesso no YouTube, bati de porta em porta de agência de trabalho. Eu não queria mais me prostituir no Brasil, eu sentia medo e me sentia suja. Era humilhante e, com a notoriedade do YouTube, seria ainda mais. A maioria das vezes em que entregava currículo nas agências, porém, percebia o pouco caso das mulheres que me recebiam. Às vezes, olhando pela janela, eu via que já tinham jogado, sem nem ler, o meu currículo no lixo.

Não fui chamada pra oportunidade nenhuma. Nem entrevista. O dinheiro acabou, eu já tava devendo aluguel e não tinha o que comer na geladeira. Encarar a estrada de novo depois de tantos anos sem me prostituir não foi fácil. Estava fazendo o truque da galinha morta, dando umas voltinhas pra conseguir o que comer no outro dia. Já estava num desespero tão grande que, certo dia, atravessando uma passarela, parei e pensei: "Eu devia me jogar". Sabe, eu amo a vida, nunca tinha pensado em me matar. Mas ali eu tava mesmo, seriamente, querendo dar fim a tudo. Não gosto nem de lembrar...

Fui despejada de casa, dormi dois dias na rua com minha cachorra num terreno abandonado. A caridade dos meus amigos, que fizeram uma vaquinha e me botaram pra morar num cortiço, me salvou. E ali voltei a me prostituir seriamente para pagar o aluguel. Tudo que eu queria era arregaçar as mangas e trabalhar. Ainda teve jornalista que fez matéria dizendo que eu estava na pior, só pra me colocar mais pra baixo!

Nós, transexuais, não temos ajuda de ninguém. Deveria haver políticas direcionadas só para a nossa população, para ajudar a arrumar emprego, tratar psicologicamente, pagar advogado, ensinar a entrar na política. Sem preconceito, mas mesmo deputados gays não podem nos representar, sabe por quê? Porque eles nunca vão passar por tanto preconceito quanto uma travesti passa! O homossexual, se quiser, passa despercebido: ninguém humilha, ninguém maltrata. Agora eu, deusa, como vou esconder minha voz e minha cara numa entrevista de emprego?

Eu não tenho nenhuma ilusão de enganar alguém de que não sou travesti. Existem travestis que se descobrem novinhas, começam tratamento hormonal de berço e passam batidas, mas comigo não tem essa, não. Eu me inspiro na figura feminina, tento chegar o mais perto possível, mas sei que não sou igual. Minha voz, altura, tudo denuncia. Eu sou a típica travesti. E isso não me incomoda nem um pouco. Amo meu quadrilzão com cintura fina e minha altura acima da média feminina.

Quando algum carinha chegava na hora do programa – depois que já rolou o bem bom, é claro – querendo desconto ou dinheiro de volta porque não sabia que eu era travesti eu sacava logo que era palhaço mesmo. Claro que sabia!

    Na Europa, uma vez, teve cliente que chegou a mandar eu ir pro banco de trás, perceber o "engano", me pagar e pedir pra descer. O certo é assim, né? Não é do seu gosto, me respeita e paga pelo meu tempo que você tomou. A maioria dos clientes, na real, é meio doida: durante a noite, nos amam, de dia, nos odeiam. Só nos maltratam e batem na gente pra se enganar e manter a fachada de "machão" quando, na real, são uns covardes que não conseguem encarar os próprios desejos sexuais. Falei e disse. Tem muitos que são safados. Lembro de um que, na hora do ato libidinoso, da bubiça, chupou meus peitos e gostou. Depois que teve o orgasmo, disse que tava intoxicado pelos meus seios "falsos" e me pediu o dinheiro de volta. Dei uma coça nele que nunca mais esqueceu!

    Tem vezes que a gente senta mesmo o braço! Nisso nós, travestis, temos vantagem com relação às outras prostitutas, porque somos mais fortes. Só que a gente sempre acaba perdendo pra uma faca ou um revólver. Só aquelas que já foram muito furadas que têm estômago pra ir lá e furar de volta. Mas a vida me ensinou uma coisa: se você levantar a mão pra bater em mim, eu pulo em você antes de ela me encostar.

    Pra completar, se você é prostituta e sofre uma agressão grave, não tem INSS, não! Fica mesmo na merda, então tem mais é que se defender! Uma amiga minha trabalha com bolsa de colostomia e tudo – "os clientes não deixam de me comer por isso", ela ri.

    Ainda mais em tempos de crise econômica. Não tá fácil: crise não é só pra quem busca carteira assinada, chegou na beira da estrada também! "Aqui foi do atacado pro varejo", brincou outro dia uma travesti que eu entrevistei na rua, "se fazia dez, agora eu faço cinco!". A Vanessa, que tem 32 anos de vida e 20 de prostituição (atenção, gata, ela FOI PROSTITUÍDA AOS 12 ANOS!), voltou há 9 meses pro Brasil e está sentindo a crise pesada aqui.

"Ainda bem que eu já tinha pagado meu aluguel adiantado, porque em meio de dezembro a clientela já sumiu. Janeiro apertou ainda mais por conta do material escolar das crianças, festas e o dinheiro da esposa que tem que pagar", desabafou uma das meninas que entrevistei na beira da estrada. "Ainda bem que ainda consigo fazer o de comer."

E tem ainda os tipinhos que querem botar a culpa em travesti. Esses dias li uma notícia de que travestis estavam roubando muito em Guarulhos, onde moro. Como estou longe das ruas há algum tempo, fui perguntar pra minha amiga Vanessa Jackson – minha parente particular de Michael Jackson, que trabalhou comigo no Brasil e na Europa, olha que *phyna* – e ela falou o seguinte: "Tem, sim, travesti que apronta, mas varia pra cada uma. Não podemos generalizar, ainda mais porque quem apronta faz isso por conta do vício, né?" – é muito difícil essa vida, benhê, têm gente que vicia em droga mesmo! Eu, que já vivi isso, entendo o porquê, mas o povo não.

"Já levei ovo, tomei paulada! E nem gosto de me prostituir!", desabafou comigo uma das bafônicas. A Giovana, 23 anos de vida e dois de prostituição, chegou nem faz muito tempo do interior de São Paulo pra Guarulhos e fala que o povo da cidade nova direto passa de carro ofendendo e jogando garrafa e ovo.

Uma outra mocinha que entrevistei, negra, me falou que viveu todos os preconceitos de uma vez. "Me ofendem por eu ser negra, por ser travesti e, mesmo sem ser, me chamam de baiana" – como se ser baiana fosse uma ofensa! A Bahia é um lugar lindo cheio de pessoas sensacionais!

E o movimento LGBT tem esse "T" aí que não representa ninguém. Todas as travestis que entrevisto na rua nunca puderam contar com eles pra nada! Algumas nem sabem o que significa...

LÉSBICAS: O DURO CAMINHO DAS PEDRAS COLORIDAS

TAMY RODRIGUES

"Lindas. E como cabe aos amantes, tiveram vontade de gritar ao mundo esse amor. Não silenciaram. Avançaram. Amazonas, usando o arco e a flecha das palavras, as fotos e os beijos para por um holofote sobre as dúvidas. Elas vêm todas de branco, vestidas as duas de noiva, cada qual com seu buquê – e o fazem com os adornos, flores e oferendas permitidas a todos os casamentos." E foi com essas palavras do texto "O samba é das moças", da grande Elisa Lucinda, que fomos declaradas casadas por uma mulher.

Carol e eu nos conhecemos de uma maneira corriqueira a muitos casais: no trabalho. Claro que, como é típico entre as histórias de amor, houve também um "quê" especial (ou todo mundo troca os primeiros olhares apaixonados às escondidas, na coxia de um anfiteatro escolar?). Naquele dia de apresentação anual na escola, enquanto esperava a minha vez para entrar no palco com os alunos, batuquei de propósito sentada em uma caixa de som na coxia do anfiteatro para chamar a atenção daquela professora do coral que eu sempre via tocando cajón nas apresentações no colégio. O tiro foi certeiro. Recebi um convite para passear em um parque às 10h da manhã. Algumas horas de conversa bastaram para concluir que eu havia encontrado uma agulha no palheiro. Namoramos por um ano (intensamente, como a maioria das sapatas de plantão – e esse sorriso que você, leitora, acaba de dar denunciou seu romantismo). No ano seguinte, Carol se mudou para o meu apartamentinho colorido e encheu-o de alegria, calidez e, claro, de instrumentos musicais que ocupavam até as nossas paredes.

Nosso relacionamento foi se moldando até virar uma parceria incondicional. Em raras vezes foi preciso responder a questões inoportunas do tipo "quem é o homem da relação?", uma vez que nossa feminilidade regada de virilidade e também de doçura transmitiam a clareza necessária a qualquer dúvida que pudesse existir. E após dois anos de relacionamento, decidimos nos casar. As duas de branco e de salto, por que não?

Entretanto, muito suor teve que ser derramado, antes mesmo de nascermos, para que Carol e eu pudéssemos assinar aquele papel que mudaria oficialmente nosso estado civil. A história do movimento LGBT no Brasil é cheia de perseguição e omissão, como me disse em entrevista o advogado Paulo Iotti, diretor do Grupo de Advogados pela Diversidade Sexual e de Gênero. "Embora as identidades LGBT não sejam criminalizadas no Brasil desde o Código Penal do Império, pessoas LGBT foram perseguidas na época da ditadura militar por agentes do Estado e não tinham sua cidadania respeitada", aponta.

A partir dos anos 1990, surgiu no Brasil algum respeito social com homossexuais, um pouco menos com bissexuais e quase nenhum com travestis, mulheres e homens trans. E só no fim dos anos 1990 e início dos anos 2000 foi que a Justiça passou a, gradativamente, respeitar os direitos de casais homoafetivos a constituírem família e de transexuais a mudarem o nome e sexo de seus documentos para adequá-los à sua identidade de gênero.

Pois é! Um papel timbrado, assinado em um cartório de São Paulo, garantiu que Carol e eu, até então integrantes da classe média paulistana, tivéssemos direitos como qualquer casal no Brasil. Mas muitas águas ainda precisam rolar para termos uma legislação totalmente livre de intolerância. Algumas leis municipais e estaduais até proíbem a discriminação por orientação sexual e por identidade de gênero, mas nossa Constituição não. Na Constituinte de 1987/1988, os parlamentares se recusaram a proibir expressamente esse tipo de preconceito.

E novos desafios continuam a aparecer, com o constante fortalecimento da bancada evangélica conservadora. "Os Planos de Educação país afora estão regredindo: em alguns casos, estão colocando proibições expressas à discussão de gênero e sexualidade nas escolas", argumenta Iotti. Eu mesma, ex-professora em escola regular em São Paulo, pude sentir essa proibição (veladamente) ao elaborar projetos que estimulassem a discussão sobre os novos modelos de família, por exemplo.

MAS E AS LÉSBICAS NESSA?

Voltemos ao meu casamento. Não foi uma decisão simples e só aconteceu porque o amor era muito. Tive que ouvir do meu pai que não foi exatamente assim que ele havia sonhado que seria o casamento de sua primogênita (apesar de estar lá presente, às lágrimas, quando viu meus olhos brilharem ao receber publicamente o amor da minha vida como esposa e companheira). Mas esse é talvez um dos "menores problemas" que uma lésbica pode encontrar no simples exercício de sua lesbianidade. (Ora, se até o Word acaba de sublinhar essa palavra por desconhecê-la, o que me dirá essa nossa sociedade ainda tão atrasada, não é mesmo?).

Ouvimos diversas perguntas do tipo "mas pode?", "mas como que vocês duas vão usar vestidos?", "mas o casamento de vocês é só simbólico, não algo assim oficial, né?", perguntas que apenas comprovam o nível de desconhecimento acerca de assuntos que deveriam ser tão comuns, mas que, infelizmente, pertencem apenas ao "universo das minorias".

A luta do movimento de lésbicas vem desmantelando barreiras a passos lentos e com muita garra. Encontramos obstáculos até mesmo dentro do movimento LGBT. Marisa Fernandes, mestre em História Social com especialização em Gênero pela USP e ativista lésbica feminista há 36 anos, conta que houve muito esforço para derrubar o termo genérico homossexual que, segundo ela, remete a uma sexualidade masculina graças ao prefixo "homo". "Foi uma grande luta conseguir, por exemplo, que os Encontros Nacionais de Homossexuais fossem transformados em Encontros de Gays e Lésbicas. Posteriormente, foi outra batalha árdua colocar o L, de lésbica, na frente da sigla LGBT. Queríamos, assim, dar visibilidade e respeito a nós, que vivemos duas opressões: ser mulher e ser lésbica", aponta.

Desde 1978, quando surgiu o "movimento homossexual brasileiro", as lésbicas já se deparavam com um forte machismo dos gays e, até hoje, muitos especialistas concordam que ele ainda é um movimento sexista e patriarcal. "As organizações mais fortes do país são e sempre foram presididas pelos homens gays; os recursos recebidos não chegam até as lésbicas organizadas e não somos pauta prioritária em nenhuma agenda de discussão do movimento. Não foi à toa que as lésbicas passaram a organizar seus próprios encontros e elegeram o dia 29 de agosto como sendo o Dia Nacional da Visibilidade Lésbica", lembra Marisa.

E aí vai uma má notícia para quem pensa que no Brasil a mentalidade ainda é demasiado atrasada se comparada a muitos outros países: o problema é mundial. As questões das lésbicas não têm sido formalmente discutidas durante as conferências da ONU sobre a situação das mulheres. Em 1995, durante a preparação para a Conferência de Pequim, foi debatida arduamente uma proposta que proibia a discriminação por orientação sexual. Certos governos apoiaram a ideia, mas ela não foi incluída no texto final. "A maioria das leis internacionais sobre os direitos humanos não oferece proteção declarada às lésbicas até hoje", opina Marisa.

CASAMENTO E ADOÇÃO

Ok! Então, a comunidade internacional julga que nós, lésbicas, não precisamos de proteção específica para nossos direitos e liberdades. Sendo assim, meu casamento, por exemplo, vale exatamente o mesmo que a união de qualquer par heterossexual? Iotti esclarece que não. Para findarem as discussões jurídicas sobre o casamento homossexual, ainda falta a aprovação de uma lei e uma emenda constitucional. Quando o Supremo Tribunal Federal reconheceu, em 2011, a união homoafetiva como entidade familiar e como união estável constitucionalmente protegida, desencadeou outras decisões históricas reconhecendo o direito ao casamento civil homoafetivo, o que culminou na Resolução que obrigou todos os Cartórios de Registro Civil do Brasil a celebrá-lo. Porém, o advogado ressalta que só poderemos falar em definitivo sobre casamento igualitário no Brasil após a mudança do Código Civil e da Constituição.

O lado positivo é que quem pensa, como Carol e eu, em algum dia aumentar a família, talvez não precise uma vez mais se armar até os dentes. No que diz respeito à adoção por homossexuais e bissexuais (solteiros ou casados), Iotti tranquiliza a todos: não há muita dificuldade desde o fim dos anos 1990, pois, como a guarda e a adoção dependem do parecer favorável de assistente social e psicólogo, os juízes geralmente não discordam dos laudos emitidos. O único problema é enfrentar psicólogos e assistentes sociais preconceituosos...

SER GIRINA (LÉSBICA RECÉM-DESCOBERTA) NOS ANOS 2000

Traçando esse panorama desde o início do movimento de lésbicas até hoje, me vi recordando de tantas adolescentes que passaram por minhas salas de aula durante esses últimos anos e dos dilemas de se descobrir homossexual durante essa fase tão conturbada. Há quem pense que, hoje em dia, com algum amparo da lei, já não haja dificuldades em ser quem se é. Porém, a estudante e ativista Lana Lopes, de apenas 15 anos, avisa que não é bem assim. "Só sair de casa já se torna um grande desafio quando você não se encaixa no padrão estipulado por nossa sociedade, esse padrão que reprime, oprime, fere e mata milhares de mulheres."

Lana gosta de usar camisas largas e tem um corte de cabelo curto e moderno. "Por isso, sempre que saio de casa, sou obrigada a ouvir xingamentos e absurdos por vestir o que visto, por amar quem eu amo e ser quem eu sou. Ainda hoje, para uma adolescente, é quase impossível se assumir no colégio, por exemplo, sem sofrer preconceito e até perseguição por parte de colegas, professores e diretores – sem falar em casa", desabafa.

Mesmo Lana, que nasceu em um momento mais favorável que Carol e eu – e ainda mais que Marisa – ainda luta diariamente, dentro e fora de casa, para que um dia possa andar de mãos dadas com outra mulher sem medo. A comunidade internacional, lembra Marisa, pode dar uma forcinha para ela, reconhecendo formalmente, em nome da igualdade de todas as pessoas, que a orientação sexual não deve privar ninguém do pleno exercício dos direitos previstos na lei internacional.

"Mas, principalmente, temos que melhorar nosso diálogo com a sociedade heterossexual cisgênera, para que ela entenda nossas demandas e que não queremos nenhum 'privilégio', mas apenas a mesma proteção legal já concedida aos heterossexuais", opina Iotti. "Ou seja, para que a sociedade entenda que queremos apenas ser respeitados em nossa dignidade humana, pura e simplesmente."

Quanto a Carol e eu, criamos uma dinâmica em que uma é o refúgio da outra. Almejando um lugar mais tranquilo, onde pudéssemos viver um dia a dia mais lento, decidimos deixar São Paulo e buscar um novo cantinho para chamarmos de lar. Juntamos nossas economias (cada moeda!) e estamos na estrada desde maio de 2015, conhecendo muita gente do bem e abrindo cada vez mais as nossas cabeças duras. Mas isso é assunto para outra oportunidade, afinal, nossa vida não é esse conto de fadas que talvez esteja parecendo. Na verdade, imagino que a vida de quase nenhuma mulher brasileira seja tão simples de ser contada. A nossa estrada é uma estrada de pedras coloridas – que a gente tem sorte de enfrentar juntas.

FEMINISMO NEGRO PARA QUÊ?

DJAMILA RIBEIRO

Um dos maiores avanços da história do feminismo foi reconhecer que, apesar de haver algumas bandeiras em comum, as mulheres também têm vivências diferentes que as fazem experimentar opressões e preconceitos de forma diferente. O feminismo negro é um dos mais relevantes braços desse reconhecimento.

Ele começou a ganhar força a partir da segunda onda do feminismo, entre 1960 e 1980, com a fundação da National Black Feminist Organization, nos EUA, em 1973, e porque feministas negras passaram a escrever sobre o tema criando uma literatura específica. Porém, gosto de dizer que bem antes disso mulheres negras já desafiavam o sujeito "mulher" determinado pelo feminismo.

Em 1851, Sojourner Truth, ex-escrava que se tornou uma importante oradora, fez seu famoso discurso intitulado "E eu não sou uma mulher?" na Convenção dos Direitos das Mulheres em Ohio. Dentre alguns questionamentos, ela diz: "Aquele homem ali diz que é preciso ajudar as mulheres a subir numa carruagem, é preciso carregá-las quando atravessam um lamaçal e que elas devem ocupar sempre os melhores lugares. Nunca ninguém me ajuda a subir numa carruagem, a passar por cima da lama ou me cede o melhor lugar! E não sou uma mulher? Olhem para mim! Olhem para meu braço! Eu capinei, eu plantei, juntei palha nos celeiros e homem nenhum conseguiu me superar! E não sou uma mulher? Eu consegui trabalhar e comer tanto quanto um homem – quando tinha o que comer – e também aguentei as chicotadas! E não sou uma mulher? Pari cinco filhos e a maioria deles foi vendida como escravos. Quando manifestei minha dor de mãe, ninguém, a não ser Jesus, me ouviu! E não sou uma mulher?"

Ou seja, já anunciava que a situação da mulher negra era radicalmente diferente da situação da mulher branca. Enquanto àquela época mulheres brancas lutavam pelo direito ao voto e ao trabalho, as negras lutavam para serem consideradas pessoas.

No Brasil, o feminismo negro começou a ganhar força nos anos 1980. Segundo Núbia Moreira, "a relação das mulheres negras com o movimento feminista se estabelece a partir do III Encontro Feminista Latino-americano ocorrido em Bertioga, São Paulo, em 1985, de onde emerge a organização atual de mulheres negras com expressão coletiva e o intuito de conquistar visibilidade política no campo feminista. A partir daí, surgem os primeiros coletivos de mulheres negras, época em que aconteceram alguns encontros estaduais e nacionais de mulheres negras.

Em momentos anteriores, porém, há registros de participação de mulheres negras no Encontro Nacional de Mulheres, realizado em março de 1979. No entanto, a nossa compreensão é a de que, a partir do encontro ocorrido em Bertioga, se consolida entre as mulheres negras um discurso feminista, uma vez que em décadas anteriores havia uma rejeição por parte de algumas mulheres negras em aceitar a identidade feminista". E isso acontecia porque não se identificavam com um movimento até então majoritariamente branco e de classe média, sem empatia para perceber que mulheres negras têm pontos de partidas diferentes, especificidades que precisam ser priorizadas.

Existe ainda por parte de muitas feministas brancas uma resistência muito grande em perceber que, apesar do gênero nos unir, há outras especificidades que nos separam e afastam. Enquanto feministas brancas tratarem a questão racial como birra, disputa, em vez de reconhecerem seus privilégios e pontos de partida, o movimento não avança, só reproduz as velhas e conhecidas lógicas de opressão. Em "O Segundo Sexo", Simone de Beauvoir diz: "Se a questão feminina é tão absurda é porque a arrogância masculina fez dela uma querela e quando as pessoas querelam não raciocinam bem". E eu atualizo para a questão das mulheres negras: se a questão das mulheres negras é tão absurda é porque a arrogância do feminismo branco fez dela uma querela e quando as pessoas querelam não raciocinam bem.

Em obras sobre feminismo no Brasil é muito comum não encontrarmos nada falando sobre feminismo negro e isso é sintomático. Afinal, o feminismo é pra quem? É necessário, de uma vez por todas, entender que existem várias mulheres contidas nesse "ser mulher" e romper com essa tentação de universalidade que só exclui. Há grandes estudiosas, pensadoras(es) como Sueli Caneiro, Jurema Werneck, Núbia Moreira, Lélia Gonzalez, Beatriz Nascimento, Luiza Bairros Cristiano Rodrigues, Audre Lorde, Patricia Hill Collins e Bell Hooks que produziram e produzem grandes obras e reflexões. Comece a lê-las!

FEMINISMO, DIVISÃO SEXUAL DO TRABALHO E CLASSE

FLÁVIA BIROLI

O percurso que marcou as lutas feministas e as conquistas de direitos pelas mulheres entre as décadas iniciais do século 20 e o início do século 21 teve grande impacto na organização das relações sociais de maneira mais ampla e, em especial, nas vidas das mulheres. Os direitos conquistados vêm permitindo uma participação mais ativa e autônoma em diferentes esferas; algo que se liga à confrontação sistemática das hierarquias "naturais" e da dupla moral sexual para homens e mulheres.

Os padrões finais permanecem, no entanto, longe da igualdade que tem sido buscada. Na política, no trabalho, no acesso a tempo, nas garantias à integridade física e psíquica, as hierarquias têm um componente de gênero identificável a olho nu.

Herdeiro do liberalismo em muitos sentidos, o feminismo adere em medidas variáveis, mas de forma significativa, ao indivíduo como valor. Os limites à igual cidadania, de um lado, e a recusa a levar em conta a singularidade da posição das mulheres, de outro, comprometem amplamente as democracias. Tendo em mente os caminhos que assim se constroem para a crítica, uma dimensão fundamental das relações de poder me parece incontornável: a divisão sexual do trabalho.

Responsabilizadas prioritariamente pela vida doméstica, em que se destaca o cuidado com as crianças e o trabalho sistemático para a reprodução da vida, as mulheres são desde pequenas socializadas para esse papel. Mas sua realização, em que o casamento tem uma função importante, as coloca numa posição que se desdobra em menor controle sobre suas vidas, menor tempo e participação mais restrita na vida pública, o que implica também renda menor, trabalho precarizado e mais obstáculos à participação política.

É claro, muita coisa mudou. O desafio está justamente em compreender como, com tantas mudanças, as mulheres continuam a ser prioritariamente responsabilizadas pela vida doméstica e como permanece ativa a identificação entre o "feminino", a maternidade e o casamento. As mulheres têm maior educação formal do que os homens em muitos países, incluído o Brasil, mas sua renda é inferior à deles mesmo quando se trata de ocupações similares (no Brasil, segundo os dados mais recentes do IBGE, a renda delas é cerca de 20% menor do que a deles). Vale observar que a divisão sexual do trabalho organiza o acesso à educação: as mulheres estudam e trabalham com mais frequência em áreas definidas historicamente como "femininas", e que justamente por isso têm menor remuneração.

Sua participação na vida pública modificou-se ao longo do tempo – ampliou-se, se pensamos nas mulheres de classe média, nas mulheres profissionalizadas – mas permanecemos subrepresentadas na política institucional (no Brasil, mesmo com a lei que reserva às mulheres 30% das candidaturas, a presença média entre os eleitos para o Congresso Nacional tem sido de 15%), o que pode ser visto entre outras coisas como um fator do acesso desigual a renda, a tempo livre, a redes que facilitam o acesso a uma carreira política, além de ser uma reposição da sua exclusão histórica – o acesso é mais fácil para quem já faz parte do jogo.

O foco na divisão sexual do trabalho também permite entender que falar de mulheres não é falar de um grupo homogêneo, e por isso é preciso andar devagar com a ideia de que interesses comuns derivam do fato de serem mulheres.

Aqui é importante falar que mulheres pertencem a classes econômicas diferentes. E elas são impactadas de maneiras distintas pela atribuição diferenciada das responsabilidades. Algumas das compreensões correntes sobre sua posição nas sociedades contemporâneas mostram que nem sempre isso foi evidente, inclusive no próprio feminismo. A ideia de que as mulheres "entraram no mercado de trabalho" nas últimas décadas não se aplica àquelas que nunca tiveram a possibilidade de não ser parte dele, ainda que isso significasse o acúmulo do trabalho doméstico com trabalho mal remunerado, em condições de exploração ainda maiores do que as dos trabalhadores homens. Na formulação de Elizabeth Souza-Lobo, "o trabalho doméstico faz parte da condição de mulher, o emprego faz parte da condição de mulher pobre". Entre as camadas mais pobres da sociedade o trabalho das mulheres fora da casa, ainda em suas palavras, é uma realidade que corresponde menos às inflexões nos valores e normas de gênero do que a "uma estratégia familiar de sobrevivência".

O trabalho doméstico remunerado, por sua vez, é realizado predominantemente por mulheres, como todo trabalho doméstico, mas por um grupo específico – embora numeroso – de mulheres. No Brasil, são mulheres negras, pobres, e ainda que tenha havido mudanças nas últimas décadas, com baixa escolarização. São, frequentemente, mulheres que saíram das regiões mais pobres do país em busca de emprego nos estados e centros mais ricos.

O tempo percorrido até a regulamentação desse trabalho, que permanece incompleta, expõe os limites da nossa democracia. Nesse quadro, a privatização das responsabilidades também é um aspecto importante: a responsabilidade coletiva e estatal pelas crianças é baixa. A ampliação do acesso a creches e ao ensino integral, a maior responsabilização das empresas e normas que evitem que trabalhadoras e trabalhadores sejam prejudicados quando precisam atender filhos que adoecem, entre outras situações que fazem parte da rotina das pessoas, colaboraria para uma definição diferente dessas atribuições.

No salve-se quem puder que a privatização do cuidado implica, a contratação do trabalho mal remunerado e precário das mulheres mais pobres alavanca a participação das mulheres mais ricas no mercado de trabalho, permitindo que cheguem a posições de maior prestígio e remuneração em relação a momentos históricos anteriores, sem que isso altere a posição marginal da maioria das mulheres.

Não é automática ou direta a relação entre o exercício do trabalho doméstico pelas mulheres, em que está incluída sua responsabilização pelo cuidado das crianças e dos idosos, e sua posição desvantajosa nas hierarquias que organizam nossa sociedade. Isso não implica que tenha menos centralidade na dinâmica em que se definem, nas democracias, posições desiguais para os indivíduos. O acesso seletivo à política institucional, ao exercício de influência, assim como a renda e a tempo livre, tem como um elemento fundamental a divisão sexual do trabalho.

ROMPENDO O CICLO FAMILIAR DE TRABALHO DOMÉSTICO

NANA QUEIROZ

"Minha bisavó Celeste começou a trabalhar como empregada doméstica aos 7 anos. Eu sempre senti nela rancor por ter sido tirada da escola, como alguém que sabia da sua inteligência e capacidade para correr longe, mas lhe cortaram as pernas. Ela então fazia questão de contar de como usou os braços para correr e que voltou à escola para trabalhar como merendeira. Minha avó Ana Maria começou a trabalhar como empregada doméstica ainda adolescente. Faleceu antes dos 50 anos, vítima de um AVC. Kátia, minha mãe, hoje com 52 anos, ainda trabalha como empregada doméstica.

Celeste, Ana Maria e Kátia. Um ciclo de três gerações de mulheres empregadas domésticas que foi quebrado no dia 23 de fevereiro de 2006, data do meu aniversário de 18 anos e também, por acaso, o meu primeiro dia na universidade no curso de Letras em uma faculdade privada com bolsa do ProUni.

Em março de 2017 fui convidada a dar uma entrevista para falar da minha trajetória e se ela condizia com uma pesquisa divulgada pelo Instituto de Pesquisa Econômica Aplicada (IPEA) em parceria com a ONU Mulheres: entre 1995 e 2015 caiu 35% o número de empregadas domésticas entre 18 e 29 anos no Brasil. A pesquisa sobre a desigualdade brasileira enfatizava gênero e raça, destacando o avanço das mulheres negras, mesmo ainda ganhando um terço do salário de um homem branco.

Eu era a comprovação da pesquisa em forma de gente: mulher, negra, na época com 29 anos e a primeira a romper o ciclo familiar de trabalho doméstico ao acessar o curso superior. E eu não era a única, minha rede próxima está repleta de mulheres negras de "primeira geração". Contar nossas histórias é contar a própria história do Brasil.

É importante afirmar que todo trabalho é digno. Quando se diz do significado e da importância do rompimento dos ciclos familiares de trabalho doméstico no Brasil, não é para desqualificar essa função, mas para analisar o motivo de gerações de mulheres da mesma família exercerem a mesmo papel na sociedade. Por que algumas famílias brasileiras demoraram séculos até ter a possibilidade de escolher exercer outros trabalhos?

Falar de trabalho doméstico é também fazer um recorte de cor e de gênero. Ainda que homens e mulheres brancas também exerçam essa função, segundo dados do IPEA de 2015, dos 6,2 milhões de trabalhadores domésticos no Brasil, 5,7 milhões são mulheres. Dessas, 3,7 milhões são mulheres negras.

A HISTÓRIA DA DESIGUALDADE

Não é por acaso que os números são esses. Os escravizados eram comprados e vendidos com o intuito de realizarem trabalhos dentro e fora de casa. Mas sempre houve diferença entre os gêneros nessas funções, e coube às mulheres os trabalhos domésticos. A figura da mucama está marcada no imaginário brasileiro como a escrava de servir, a negra de estimação, "quase da família". Essas eram as principais realizadoras dos trabalhos domésticos da Casa Grande, acompanhantes das "sinhás", conselheiras das "sinhazinhas", estupradas pelos senhores.

A Lei Áurea, de 1888, tinha o intuito de banir a escravidão do país. Mas nem ela, nem as leis anteriores, Lei do Ventre Livre (1871) e Lei do Sexagenário (1885), descreviam que destino deveriam ter os ex-escravizados, como seriam inseridos no mercado de trabalho, que profissões exerceriam, quanto receberiam, como seriam as relações patronais. Ao contrário, o Brasil tratou de se modernizar para o século 20 com políticas eugenistas.

Na virada do século 19 para o 20, o Rio de Janeiro, então capital do Brasil, tinha 30 mil mulheres escravas e livres labutando como domésticas, segundo a historiadora norte-americana Sandra Lauderdale Graham. Elas representavam 15% dos habitantes e 71% das trabalhadoras da cidade. Em 1906, a escravidão havia acabado, mas as domésticas ainda representavam 13% da população do Rio e 76% das mulheres trabalhando fora de casa. No livro *Proteção e obediência: criadas e seus patrões no Rio de Janeiro, 1860-1910*, Sandra descreve a forma de viver na então capital como "um estilo de vida que era, em todas as suas variantes, dependente dos criados, não apenas para suprir as necessidades da existência diária, mas também para exibir uma posição social de privilégios".

Pouca coisa mudou, segundo a Organização Internacional do Trabalho (OIT). Em 2017, o Brasil tinha o maior número de trabalhadores domésticos do mundo, cerca de 7 milhões. São três empregados para cada 100 pessoas.

O pós-abolição fez uma "transição natural" da "escrava doméstica" para a empregada doméstica, mantendo as mesmas relações de poder. Também por isso o trabalho doméstico demorou para ser reconhecido como atividade econômica, e as trabalhadoras não foram inseridas na Consolidação das Leis do Trabalho (CLT) de 1943. A Constituição de 1988 só lhes deu 9 dos 34 direitos trabalhistas de outras categorias. Era como se, para esse tipo de trabalho, as mulheres, e principalmente as mulheres negras, estivessem naturalmente habilitadas. Um trabalho que se aprende em casa, que não precisa de formação técnica e, por isso, não merece a mesma valorização. Desvalorização essa que contribui para a exploração e o abuso sexual, moral e psicológico. O trabalho doméstico não é isolado, fora do mundo, ao contrário: marca estruturas de poder e participa das relações sociais patriarcais, racistas e misóginas.

Era comum os ciclos familiares de emprego doméstico no país: bisavós escravizadas formaram avós, mães e filhas empregadas domésticas. Não raro os ciclos familiares ocorriam dentro da mesma família de empregadores, reproduzindo também a lógica escravagista, disfarçada de círculos de confiança ou relações afetuosas, mas poucas vezes questionadoras do porquê de haver gerações de mulheres servindo gerações de patrões.

Só em 2013 a Emenda Constitucional 72, conhecida como "PEC das Domésticas", entrou em vigor, estabelecendo carga horária de trabalho, hora extra, licença maternidade e outros direitos. Em sessão solene da Câmara no Dia da Empregada Doméstica, a deputada Benedita da Silva (PT-RJ, relatora da PEC das Domésticas na Câmara), subiu à tribuna em 2014 com uniforme de empregada para homenagear as trabalhadoras. Reeleita para o terceiro mandato em 2018, ela conta que, em sua geração, ser mulher negra e não ser empregada doméstica não era uma opção, mas uma oportunidade rara.

EMPREENDER PARA VER A SI MESMA

As mulheres negras têm um perfil de empreendedoras por necessidade, segundo a psicóloga Daise Rosas, que coordenou por três anos o programa Trabalho e Empreendedorismo da Mulher, da Secretaria de Políticas para as Mulheres da Presidência da República, do governo Dilma Rousseff. A maioria costuma ter baixa escolaridade, nenhum aporte financeiro e pouca ou nenhuma experiência em gestão financeira. Mas isso vem mudando nos últimos anos, aponta Daise, especialmente no que se refere ao aumento da escolaridade: "As cotas educacionais fazem parte desse processo".

É comum, quando uma mulher negra empreende, pensar nas faltas que ela teve ao longo da vida e tentar resolver essas faltas com produtos que elas se propõem a colocar no mercado, conta Jaciana Melquiades, historiadora formada pela Universidade Federal do Rio de Janeiro (UFRJ) e coordenadora das atividades educativas no Coletivo Meninas Black Power. "Nunca é só um produto que está na moda, geralmente ele é pensado, mesmo que inconscientemente, para curar nossas dores, nossas faltas", diz Jaciana, cuja foto dela com a mãe, o pai e o diploma ilustrou originalmente essa reportagem. Nessa perspectiva, ela fundou a Era uma Vez o Mundo, empresa de impacto social que desenvolve brinquedos afirmativos e representativos que promovem educação por meio das ideias de diversidade e sustentabilidade.

FORMAÇÃO COMO PONTO DE CHEGADA

Mary do Espírito Santo é filha de Maria da Penha, neta de Maria de Lourdes e bisneta de Maria América. Além dessas referências, é graduada em Letras e mestra em Estudos da Linguagem pela PUC-Rio. Atua com formação, facilitação de grupos e articulação institucional. Mary passou boa parte da infância no quarto de empregada das casas dos patrões da mãe, lendo sozinha, sem incomodar os donos da casa.

As horas e horas de trabalho de dona Penha garantiam o aluguel da casa na favela da Rocinha e permitiram que Mary pudesse ter o que é um dos fatores primordiais no rompimento desse ciclo: tempo para estudar e possibilidade de fazer escolhas. A chegada à PUC para a graduação em Pedagogia veio com a ajuda da madrinha, que trabalhava como secretária do responsável pelas bolsas de estudo da faculdade.

Estudar num ambiente elitista sendo moradora de uma das maiores favelas do Brasil foi um choque de realidade: "Era a desigualdade sendo jogada na minha cara". Ainda assim ela permaneceu até o fim do mestrado na mesma universidade. "Minha mãe sempre falou: 'estuda, que estudo ninguém tira de você.' Mas quando nossas mães falam isso, é um campo muito genérico, você vai estudando que nem uma louca, mas sem saber pra onde está indo. Quando eu defendi o mestrado, saiu um peso tão grande das minhas costas que eu sentei no bicicletário e pensei: 'Acabou, acho que eu cheguei onde falaram que eu tinha que chegar'."

AQUILOMBAR-SE

A internet tem um papel importante para a geração que rompeu os ciclos familiares de trabalho doméstico no Brasil: trouxe visibilidade. Foi a partir dela que muitas histórias e trajetórias se tornaram conhecidas, geraram impacto e inspiraram outras mulheres. Com as redes sociais, os laços geracionais passaram a ser não só de sangue, mas também de reconhecimento.

Reconhecimento não só das lutas, mas das vitórias: aumento da escolaridade, aumento da renda, produções acadêmicas, empreendedorismo, participação política. E é a partir do reconhecimento que as mulheres negras se fortalecem e se aquilombam. Quilombo não é onde nos colocam, é onde queremos estar.

Como escreve Conceição Evaristo no poema "Meu Corpo Igual", do livro *Poemas de recordação e outros movimentos* (Ed. Malê, 2017):

> Na escuridão da noite
> meu corpo igual,
> boia lágrimas, oceânico,
> crivando buscas
> cravando sonhos
> aquilombando esperanças
> na escuridão da noite.

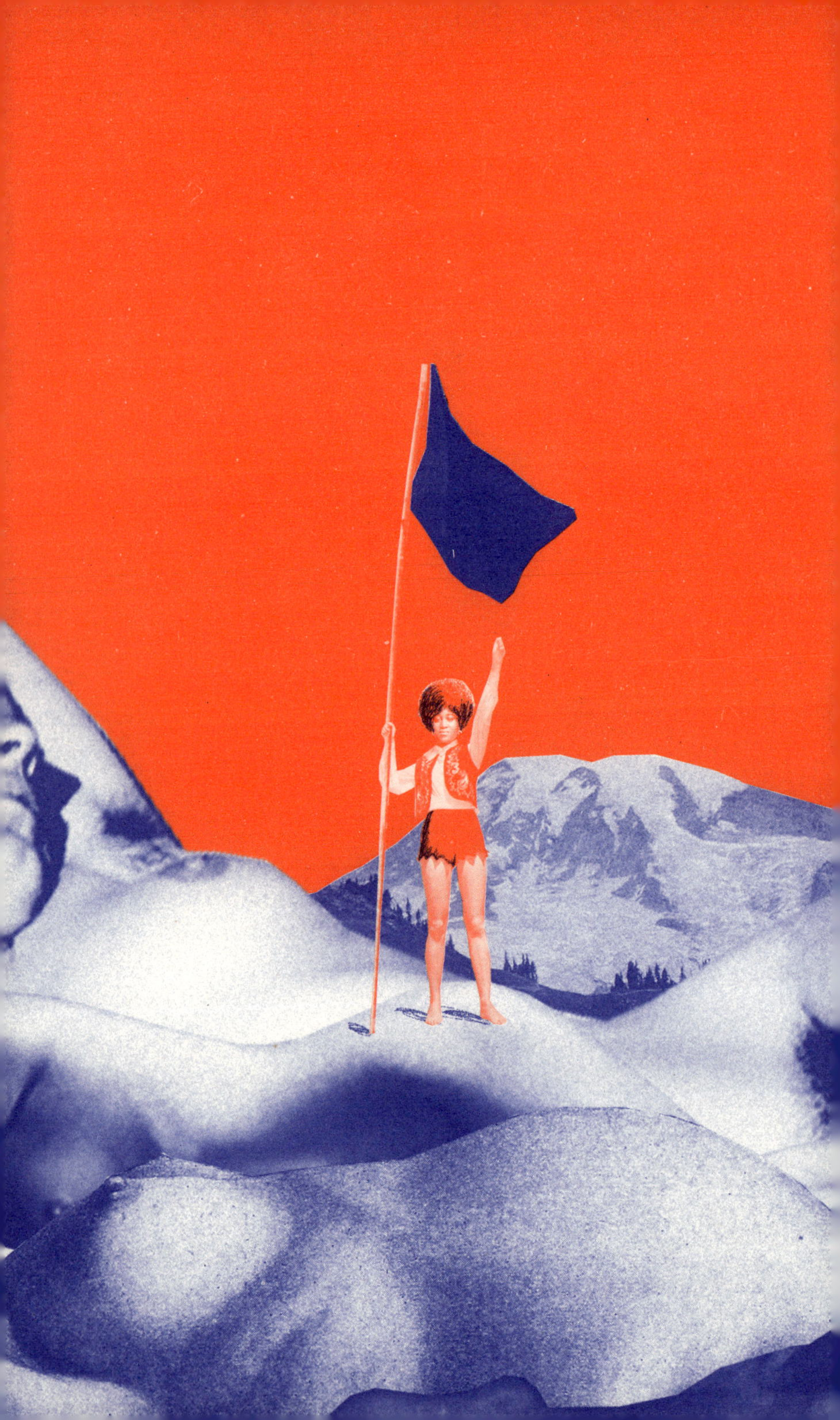

parte III
DIREITO AO CORPO

SEM PRAZER? A CULPA É DO MACHISMO

LUIZA FURQUIM

As descobertas da ciência estão derrubando muitas das nossas ideias sobre o desejo e a sexualidade feminina. E isso é uma boa notícia! Sabe por quê? Porque tudo que sabemos sobre desejo foi baseado num padrão de excitação masculino, ou seja, toda a ciência do sexo, até recentemente, era machista.

Com essa ideia na cabeça, não é de se admirar que, até a virada do milênio, acreditava-se que cerca de 50% das mulheres sofriam algum tipo de distúrbio da libido, um verdadeiro surto epidêmico de frigidez. Agora, o jeito de pensar é outro. Segundo Laurie Mintz, professora de Psicologia da Sexualidade Humana na Universidade da Flórida, "falta de apetite sexual por si só não é mais critério de diagnóstico nenhum. Baixa libido não existe. Não é mais um problema médico". Então, se você anda meio sem "tesão", pode ficar tranquila, é muito provável que não haja nada errado com você!

Até cerca de duas décadas atrás, a vontade de transar era vista como uma coisa que vinha de dentro do "ser", como nosso lado animal, uma pulsão incontrolável para satisfazer uma necessidade biológica. Ser capaz de sentir isso era um traço de personalidade, algo que você tinha ou não. Por isso, fazia sentido dizer que uma mulher era frígida e outra, totalmente ninfomaníaca.

O senso comum é esse até hoje – e ele foi reforçado por estudos científicos das décadas de 1960 e 1970, publicados pelos americanos William Masters e Virginia Johnson e a austríaca Helen Kaplan. "Masters e Johnson observaram casais transando em laboratório. Eram pessoas que estavam perfeitamente dispostas a fazer sexo e, por isso, a vontade de transar não foi nem considerada um fator relevante ao escreverem seu modelo de resposta sexual", explica Ellen Laan, sexóloga e pesquisadora da Universidade de Amsterdã. "Quando Kaplan notou, em seu consultório, que o maior problema entre os casais era a diferença entre o desejo de um e outro e que elas geralmente tinham menos vontade que eles, a ideia inicial foi adaptada e o desejo foi colocado antes da excitação, num modelo linear."

MODELOS DE RESPOSTA SEXUAL

Masters e Johnson
EXCITAÇÃO → "PLATEAU" (AUMENTO DA EXCITAÇÃO) → ORGASMO → RESOLUÇÃO

Kaplan
DESEJO → EXCITAÇÃO → "PLATEAU" → ORGASMO → RESOLUÇÃO

Como esses modelos focavam apenas em aspectos físicos da excitação, como ereção e lubrificação, nasceram as supostas patologias do desejo, que sempre afligiram muito mais as mulheres do que os homens. E o desejo, colocado em primeiro lugar na equação sexual, era entendido como uma espécie de combustão espontânea. "Sempre fiquei desconfortável com a ideia de que o desejo seria espontâneo, surgindo do nada, e de que os homens sentiam mais tesão que as mulheres", confessa Laan. O mesmo desconforto provocou a canadense Rosemary Basson, diretora do Programa de Medicina Sexual da Universidade de British Columbia, a publicar o primeiro artigo sobre o tema em 2000 e afirmar que "desejo é um evento responsivo, não espontâneo".

"A resposta sexual, como o nome sugere, responde a alguma coisa, a estímulos ou sinais sexuais, estejam eles no ambiente ou simplesmente na cabeça de alguém. Memórias e fantasias, por exemplo, ativam a excitação e o desejo." Basson propôs alguns modelos de resposta sexual, todos circulares, nos quais desejo e excitação são dois lados da mesma moeda e nosso físico e nosso psicológico se retroalimentam. Foi só aí que a vontade de transar deixou de ser tratada como uma característica pessoal e permanente e passou a ser vista como um estado momentâneo, que depende de estímulos, do quão sensível você é a eles, do seu nível de estresse, da satisfação que você obtém no seu relacionamento etc. Ou seja: tudo bem não estar babando pela calcinha quando um cara chega, do nada, querendo dar uma aqui e agora.

Casada há 6 anos e mãe da Agatha, de 4 anos, a paulistana Gabriela Amaral experimenta isso na prática. Ela conta que já ficou sem ter vontade por causa do estresse gerado por problemas na família e no trabalho. Quando não está com tanto fogo na pepeca, diz: "O desejo tem que ser trabalhado o dia todo, não só na hora que o marido quer. Conta ele me ajudar em casa, colocar a baixinha pra dormir, fazer brincadeiras e me deixar de bom humor. Se estou me sentindo bem, uma coisa leva à outra e as partes começam a pulsar".

TRANSAR SEM VONTADE APARENTE?

Essa mudança de perspectiva sobre o desejo feminino teve um efeito poderoso: o de nos mostrar que somos normais. Foi aí que o Manual Diagnóstico e Estatístico de Transtornos Mentais, o DSM, enxugou as páginas sobre patologias da libido. Psicólogas como Laurie Mintz, que atendem diariamente mulheres preocupadas com a suposta falta de tesão, passaram a recomendar que suas pacientes procurem as chamadas preliminares sexuais mesmo sem vontade aparente. "Elas ficam esperando o desejo vir, geralmente na expectativa de sentir aquele calor ou pulsação nos genitais, mas muitas vezes ele não vem. É que o modelo sexual da mulher não é linear como a gente aprendeu. Devemos reverter a equação: em vez de ficarmos excitadas para transar, transar para ficarmos excitadas", diz ela.

Vale frisar que, quando Mintz fala em sexo, ela se refere ao significado amplo do termo, que inclui brincadeiras e sedução, coisas que acontecem com mais frequência no começo dos relacionamentos, nos levando a achar que o sexo simplesmente acontece. O problema é que essas coisas são deixadas de lado quando a relação se estabiliza. "É importante adicionar que, na fase inicial, é provável que o parceiro ou parceira em potencial dê mais atenção à mulher, confirmando que ela é sexualmente atraente, o que aumenta sua autoestima sexual e, consequentemente, a libido", completa Basson.

Peraí! A ciência está pregando que voltemos à Idade Média e passemos a transar por obrigação, pra satisfazer o maridinho?! Nada disso! Laurie Mintz explica que a diferença entre uma coisa e outra é enorme. No sexo por obrigação, a mulher faz coisas que não quer, sem sentir prazer, apenas para agradar um parceiro. O que ela prega é começar a transar para descobrir a vontade, se abrindo ao prazer e chegando ao orgasmo. Se em qualquer momento do processo a mulher descobrir que não está afim e pronto, fim de papo.

A mineira Eliza Maria Dias Santos, casada há 26 anos e mãe duas vezes, sabe muito bem que as coisas não acontecem do nada. "Estou com 55 anos e meu marido fez 70. O sexo acontece por uma soma de coisas. É consequência do nosso dia a dia juntos. Preciso sempre de um toque, sentir o cheiro dele, a voz carinhosa. Se me sinto amada e protegida, o desejo vem de um jeito que parece até espontâneo, mas foi causado por todas essas pequenas coisas. São sinais que um dá para o outro. Às vezes, mesmo sem aquele calor, deixo a brincadeira me levar. É sempre bom!", conta, satisfeita. Talvez os diagnósticos devessem recair não sobre o desejo, mas sobre a qualidade dos estímulos...

HOMENS SÃO MÁQUINAS DE SEXO?

Ok, as descobertas da ciência da última década libertaram as mulheres de estigmas sexuais como a frigidez. Mas aquela ideia IR-RI-TAN-TE de que os homens gostam mais de sexo do que nós continuou. Então vontade de transar seria automática para eles? A resposta é não.

O desejo masculino de fato parece espontâneo e existem algumas explicações para isso. Uma delas é a ereção matinal. "Isso acontece durante o sono e não sabemos exatamente o porquê. Mas temos hipóteses. Como os vasos sanguíneos são importantes para o endurecimento do pênis e, logo, para a procriação, acreditamos que a ereção é apenas um bom jeito de oxigenar esses vasos, evitar obstruções e manter o órgão em boa forma. As mulheres também acordam lubrificadas e pelo mesmo motivo, mas não percebem. Já reparou como, ao urinar e limpar-se pela manhã, o papel higiênico desliza mais?", nota Ellen Laan, sexóloga e pesquisadora da Universidade de Amsterdã. Segundo ela, como parece que o pênis ficou duro sozinho, os homens pensam que a ereção é espontânea. "Mas você acha mesmo que, se fosse assim, existira o Viagra e uma indústria do sexo bilionária? Isso é um mito", afirma. E, apesar de falso, foi um parâmetro usado para regular não só a libido masculina como a feminina...

O design do pênis, mais exposto que a vagina e o clitóris, é, no fundo, uma das poucas diferenças relevantes entre homem e mulher. "Desde a infância, meninos fazem xixi de pé e tocam o pênis, tomando consciência de sua sensibilidade. É óbvio para eles quando acontece algo 'diferente' ali. Para as meninas, é mais difícil fazer a mesma descoberta, porque boa parte da genitália feminina é interna", diz Laan. Isso também significa que as partes íntimas da mulher "sofrem menos estímulos inesperados do ambiente do que as dos homens, como quando a calça roça no pênis e provoca uma ereção", completa Rosemary Basson, diretora do Programa de Medicina Sexual da Universidade de British Columbia.

Além disso, é possível que as mulheres sejam menos sensíveis a variações nas partes íntimas. Basson fez experimentos em que mulheres eram convidadas a verem filmes pornô e, mesmo que suas vaginas estivessem mais vascularizadas logo após a exibição, tanto mulheres sexualmente funcionais como as 'disfuncionais' nem sempre se consideravam excitadas por conta disso. É que a reação física nem sempre vem acompanhada de uma excitação emocional e subjetiva, sem a qual a vontade de transar não se materializa. Em outras palavras, não dá para reduzir o desejo a calor e vasodilatação, principalmente porque, para muitas mulheres, a consciência do desejo não é algo tão claro.

Basson explica ainda que "o canal vaginal não tem as terminações nervosas necessárias para a captação de mudanças sutis, como lubrificação e aumento da circulação. Mulheres vivem usando absorvente interno e esquecem dele após colocá-lo. Pensando em termos de evolução, se a vagina fosse intensamente sensível, ter um bebê seria doloroso demais e, dada a escolha, ninguém teria mais que um!". Mas, ei, não fique triste! "A vagina não é seu órgão sexual. O clitóris é!", crava Laan, que critica as teorias de sexualidade tradicionais, muito mais focadas em reprodução que na satisfação derivada do sexo. Para ela, é até bom que os dois órgãos não coincidam, porque assim "nosso centro de prazer continua intacto após o trabalho de parto".

NOSSA IDEIA DE SEXO É MACHISTA

Sexualidade não é apenas uma questão de anatomia. É o que socióloga Lara Facioli, do Núcleo Quereres de Pesquisa em Diferenças, Gênero e Sexualidade da Universidade Federal de São Carlos (UFSCAR), faz questão de lembrar. "Nosso próprio vocabulário para falar de desejo é pautado por uma perspectiva masculina de ver e nomear as coisas. O termo tesão, por exemplo, tem origem na palavra 'teso', que quer dizer duro, rígido, esticado. Ou seja, remete ao órgão sexual masculino em torno do qual nossa vida sexual foi construída, historicamente, para acontecer."

E ela vai ainda mais longe. "Dizer que mulheres são tradicionalmente passivas no sexo e donas de um desinteresse biológico me soa mais como uma tentativa de enquadrar o desejo feminino para reforço do machismo. Assim reforçamos a ideia do homem como ativo, como aquele que está autorizado a querer sexo a qualquer custo. Esses discursos reforçam e naturalizam, inclusive, relações violentas e estupros dentro e fora do casamento."

Para Ellen Laan, o aprendizado é mais importante que as diferenças físicas entre homens e mulheres. "Eles aprendem desde cedo que sexo é sempre algo recompensador e, para elas, sujeitas a abusos e violência, é algo ambivalente. Além disso, as pessoas acham normal os meninos se tocarem, mas meninas são censuradas se descobrem sua sexualidade dessa maneira", diz.

Isso quer dizer que, se as mulheres são menos sensíveis aos estímulos sexuais ou pensam menos em sexo, não é porque a natureza quis assim, mas por influência de uma cultura machista. "Conforme aprendemos sobre a plasticidade cerebral, a capacidade que o sistema nervoso tem de se adaptar de acordo com as experiências, precisamos considerar não só a anatomia com que uma pessoa nasce, mas os eventos da vida e os estímulos que ela absorve após o nascimento", alerta Basson. "Não negamos que há diferenças biológicas, mas existe uma interação complexa entre as influências sociais e como nosso cérebro responde a elas."

EM VEZ DE TOMAR REMÉDIO, PRECISAMOS REDEFINIR O SEXO

Para a pesquisadora, não só a maneira como encaramos o desejo parte de um ponto de vista masculino, mas também como definimos o sexo, e isso aumenta a distância entre os gêneros. "É loucura dizer que os homens são mais capazes de ter orgasmos que as mulheres, uma vez que o sexo é pautado pela penetração vaginal e a vagina é menos sensível que o clitóris. Mas somos criadas para acreditar que somos disfuncionais se não chegamos lá desse jeito. O normal é não gozar só com penetração!", afirma. "A sociedade acha que deveríamos gostar de ser penetradas em todos os buracos do nosso corpo... Essa é uma visão masculina e heteronormativa. Nós não devemos culpar os homens por gostarem do que eles gostam, mas tomar o controle do nosso prazer e redefinir o que é o sexo", urge Laan.

Enquanto a ciência decreta o fim da frigidez, farmácias já recebem a primeira "pílula do desejo feminina", a Addyi, comercializada pela Sprout Pharmaceuticals. Como se não bastasse, a Addyi é cor-de-rosa. "Essa visão medicamentosa da indústria farmacêutica reafirma que o desejo é um traço de personalidade e reforça a perspectiva masculina. Sendo assim, bastaria tomar uma pílula e resolver todos os problemas... Mas é tudo uma questão política, não biológica. Se não fosse, por que não criar uma pílula que diminui o desejo dos homens?", questiona Laan.

Hormônios, remédios e idade podem, sim, afetar a vontade de transar, mas num percentual muito menor do que se quer acreditar. Para Lara Facioli, não devemos entender a libido apenas pelo viés biomédico e reduzir nossa compreensão das práticas sexuais, culpabilizando as mulheres e medicando-as. "Problematizar nossos desejos, nossas vontades e pensar em novas possibilidades nos livraria de viver numa sociedade que medicaliza o corpo, quando o desejo está na cabeça", opina ela. Cabe a nós decidir se queremos tomar a pílula rosa e esquecer tudo isso ou se colocamos um ponto final no controle do machismo sobre nossas vontades."

A PORNOGRAFIA E O FEMINISMO

CAROLINA OMS E NANA QUEIROZ

"Quarta-feira, 1 de julho de 2015, às 19 horas. O pós-pornô chega às (Ciências) Sociais, passeia pelos corredores da faculdade e vai sexualizando tudo ao seu redor. Uma proposta para ampliar o imaginário pornográfico e experimentar outras formas sexualizadas de habitar o espaço universitário", dizia o folheto de divulgação que circulou pela Universidade de Buenos Aires, na Argentina.

Somente cerca de 30 pessoas viram a performance e o debate que ocorreu em seguida. Mas as notícias de mulheres, nudez, sexo e sadomasoquismo ocupando uma das mais prestigiosas universidades do país correram as redes sociais e a imprensa como um raio. "Entendemos o pós-pornô como uma plataforma artística e política que permite experimentar, viabilizar e tornar desejáveis diversidades de corpos e práticas sexuais não convencionais", disse pouco depois Laura Milano, pesquisadora e jornalista argentina que participou da ação.

O pós-pornô, modalidade que inspirou as artistas argentinas, surgiu em meados dos anos 1980, quando a ex-atriz pornô Annie Sprinkle se insurgiu contra as condições de trabalho e o machismo da indústria. Considerada a mãe do movimento, Annie passou a dirigir e criar seus próprios filmes e performances. Em uma delas, com lingerie preta e sapatos de salto alto, ela abriu as pernas, inseriu um espéculo na vagina e convidou homens e mulheres a olhar o seu colo do útero. "A vagina ou o colo de útero não têm dentes", disse Annie, numa provocação aos machistas e/ou mulheres que têm vergonha de seu corpo.

Cerca de 20 anos depois, coletivos feministas ao redor do mundo retomam a ideia. São grupos que, ao não se verem representados na pornografia comercial, propõem novas práticas – ao invés de rechaçar a pornografia como um todo. Definir o que seriam essas práticas, no entanto, já é tarefa mais complicada, já que existem inúmeros coletivos independentes criando cada um suas narrativas em torno do tema. Mas o primeiro passo é afirmar o que o pós-pornô não quer ser.

O PÓS-PORNÔ NÃO QUER:

- FALAR APENAS DE SEXO HETEROSSEXUAL
- REDUZIR SEXO APENAS AOS GENITAIS
- DIZER QUE EXISTE UMA MANEIRA "CERTA" DE FAZER SEXO
- APRESENTAR MULHERES COMO MEROS OBJETOS DO DESEJO MASCULINO

Aproveitando as tecnologias cada vez mais acessíveis, esses grupos criam e consomem conteúdos pós-pornográficos. Mas, ao contrário da indústria, são produções coletivas, autogestionadas e sem fins comerciais. As criações que surgem desse trabalho podem ser várias: filmes, fotos, intervenções, debates...

Entendeu o que é o pós-pornô? Difícil, já que ele não tem uma definição única. Mas a principal dificuldade para defini-lo se deve ao fato de que definir é também enquadrar, delimitar. E o que essas mulheres buscam é exatamente o oposto. É libertar, ampliar e diversificar o sexo, o desejo e suas expressões culturais.

Ele deriva de uma insatisfação antiga de feministas de várias correntes com o pornô comercial. Um exemplo é Eliane Robert Morais, professora da Universidade de São Paulo (USP) e especialista em literatura erótica, para quem a pornografia comercial tenta se impor de maneira única sobre desejos que são diversos, produzindo "uma sexualidade conformada às exigências da ordem social; um erotismo reduzido às demandas da utilidade. A tralha midiática oferece um repertório fechado e pronto de imagens, que banaliza e reduz o poder subversivo do sexo".

A principal crítica das feministas ao pornô é que ele torna a mulher um mero objeto sexual para uso masculino e naturaliza práticas violentas. São populares, em canais pornôs gratuitos da internet, filmes em que atrizes simulam, por exemplo, estarem sendo estupradas ou serem menores de idade. Para completar, o prazer feminino raramente é considerado importante: quem goza, de verdade, é o homem – a mulher no máximo finge, numa simulação bem mal feita.

Há quem vá ainda mais longe e afirme que o pornô faz mal e vicia. A escritora americana Naomi Wolf, que se eternizou com o livro "O Mito da Beleza", é uma delas. Em um de seus livros mais recentes, "Vagina, uma biografia", ela afirma que existe uma relação direta entre a popularização da pornografia – a partir do surgimento da internet – e a redução das relações sexuais entre os casais, além de uma piora vertiginosa na qualidade do conhecimento dos homens sobre o prazer da mulher. Ela crava alguns dados: "85% dos homens acham que sua parceira sexual atinge o clímax – mas apenas 61% das mulheres na verdade o atingem".

A ciência, lembra Naomi, tem mostrado que o cérebro produz, após a masturbação com filmes pornô, substâncias bem parecidas com as de muitas drogas, como opioides, serotonina e endocanabinoides. Por isso, como as drogas, a pornografia viciaria e, não só, faria com que os homens precisassem de estímulos mais e mais intensos para atingir o clímax, como um viciado que precisa de mais e mais droga para atingir o mesmo nível de satisfação. No fim das contas, as parceiras se tornariam sem graça e frustrantes, pois não encaram as experiência violentas e extremas dos filmes. "Eles começam a focar naquilo que seu relacionamento não oferece e não naquilo que oferece", ela conclui. Acredite se quiser, existem até grupos de desintoxicação para viciados em pornografia, como o Reuniting.info.

Enquanto a corrente de feministas da qual Naomi faz parte se opõe radicalmente ao pornô e quer banir essas produções, outros grupos, como as adeptas do pós-pornô e do pornô feminista, acham esse discurso moralista e cerceador da liberdade de expressão. Elas tentam, pelo contrário, reinventar a ideia do que é erótico.

"A pornografia é uma espécie de fome. Como tal, ela pode ser saciada de diversas maneiras, seja com um salgadinho industrializado, seja com um banquete. E, claro, com tudo o que há entre um e outro... Há um cardápio de paixões", argumenta Eliane. "Bem, para o senso comum, o pornográfico é o que 'mostra tudo', enquanto o erótico é o 'velado'. Contudo, para o estudioso do erotismo, essa distinção é falsa, senão moralista. A rigor, livros como os de Sade, de Georges Bataille, de Glauco Mattoso ou de Reinaldo Moraes são muito mais obscenos do que a pornografia comercial de Bruna Surfistinha ou de '50 tons de cinza', por exemplo. A diferença entre eles não está no grau de obscenidade, mas na composição formal. Ou seja: o valor de uma peça erótica nunca se mede por sua moralidade, mas por sua qualidade estética."

O pornô feminista têm alguns princípios parecidos com os do pós-pornô, como evitar violências contra a mulher ou ditar regras sobre quais corpos são e quais não são bonitos. Sua especificidade, porém, está em focar as cenas e os enredos na sexualidade da mulher, para servir de contraponto ao pornô masculinizado que está por aí. A ideia é dar às mulheres material para alimentar suas fantasias e desenvolverem sua sexualidade. O pornô, para elas, pode, sim, ser algo empoderador para as mulheres – e até educativo. Diretoras de cinema têm feito bastante sucesso com essas produções, como Erika Lust, Candida Royalle e Louise Lush.

Não há – e nem deve haver – uma conclusão definitiva sobre esse tema, como em muitos outros assuntos polêmicos do mundo do feminismo. A questão está sempre voltando ao debate. O que não podemos esquecer é que o erotismo é uma dimensão essencial da nossa humanidade. Ele está presente na vida de quem o pratica, de quem diz não praticá-lo, de quem pratica muito e de quem pratica pouco, não importa onde, quando ou com quem. Ele pode ser expressado de maneira chula e ofensiva, ou de maneira sublime e instigante. E Eliane conclui: "Creio que o olhar feminista nos faz um grande trabalho quando denuncia os discursos preconceituosos, mas é preciso tomar muito cuidado para não virar uma patrulha, pois erotismo é fantasia e, como tal, supõe a liberdade de expressão. Um dos nossos maiores desafios é perceber o tênue fio que separa essa liberdade do preconceito".

POR QUE TANTAS MULHERES ODEIAM SUAS VAGINAS?

HELENA BERTHO

Sabe quando você acha algo tão repugnante que prefere nem olhar? Essa é a relação de muitas mulheres com as suas xoxotas na maior parte de suas vidas – incluindo esta repórter que vos fala, já que a maioria das vulvas não tem nada a ver com a da Barbie: desde sua cor, que pode ser escura, até o formato cheio de dobras e peles, passando pelo cheiro. E apesar de parecer uma questão muito pessoal, ela é na verdade social.

"O sexo feminino é definido pela ausência dos órgãos que o masculino tem. E enquanto se define a mulher pela ausência, acaba não se conhecendo esse órgão sexual. Como se não tivesse nada para conhecer ali além da função reprodutora", explica a antropóloga Bruna Kloppel, que estuda a relação entre ciência, gênero e sexualidade na Universidade Federal do Rio Grande do Sul. "E isso é uma forma de controle social, no sentido de que você poda a sexualidade feminina, a invisibiliza. Ou quando não tira a parte da sexualidade feminina e deixa só a reprodutora."

OS LÁBIOS (NEM PEQUENOS NEM GRANDES)

Uma aula de anatomia nos ajuda a começar a entender esse assunto. A ginecologista Bruna Wunderlich explica que um órgão genital feminino normal (anatomicamente falando) é composto pela parte externa (a vulva, com clitóris, lábios externos e lábios internos) e pela vagina (o canal que liga essa parte ao colo do útero). E sim, vulva e vagina são duas coisas diferentes – e o fato de muitas mulheres não saberem isso só prova como a aula de anatomia na escola é falha com as meninas.

Reparou que escrevi lábios internos e externos e não pequenos e grandes? É que ao dizer "pequenos lábios" damos a entender que eles são menores que os "grandes lábios". Mas não é bem assim. "Cada mulher tem um tamanho que é seu próprio", diz a ginecologista.

A designer Madalena (nome fictício) não sabia disso. Ela tinha os lábios internos grandes. "Eu não sentia dor, nem marcava na roupa. Mas era uma coisa que me incomodava e, por isso, não conseguia ter relação sexual porque achava que ia ser julgada", conta. Ela decidiu fazer uma cirurgia plástica de redução de lábios, chamada de ninfoplastia, aos 19 anos. "Eu gostei muito do resultado e, sem dúvida, faria de novo", afirma.

CAMPEÕES DE PLÁSTICA NA XOXOTA

Madalena não está só. O Brasil é o país que mais faz cirurgias plásticas íntimas em mulheres no mundo, segundo dados da Sociedade Internacional de Cirurgia Plástica e Estética (ISAPS). Em 2016, foram 25 mil procedimentos. O segundo colocado da lista, os Estados Unidos, cuja população é cerca de 50% maior do que a brasileira, fizeram quase metade, 13 mil.

O cirurgião plástico Rodrigo Itocazo Rocha, da Sociedade Brasileira de Cirurgia Plástica, conta que um terço da procura pela ninfoplastia é por motivos estéticos, um terço por motivo funcional, como incômodo físico ("pegar" nas roupas ou doer ao pedalar, para ciclistas) e um terço é uma combinação das duas. Para ele, a razão estética é mais comum entre mulheres jovens.

Um dos efeitos colaterais possíveis da cirurgia é que a cicatrização reduza a sensibilidade da região. O médico explica que essa "é uma área que tem grande umidade e uma flora bacteriana diferente da pele, além do sistema excretor urinário e digestivo próximos, o que aumenta os riscos de complicações". As mais comuns são: abertura dos pontos; infecção, sangramento e hematoma (riscos comuns de qualquer cirurgia); redução exagerada, levando à amputação dos lábios internos; e diminuição da sensibilidade e do prazer.

A questão que fica é: por que queremos tanto lábios menores, se naturalmente eles podem ser de muitos tamanhos? Seriam os homens tão insatisfeitos com seu órgão sexual quanto as mulheres? Ainda segundo a ISAPS, nenhum homem reduziu seu pênis em 2016. Na verdade, apenas 8 mil, no mundo todo, entraram na faca por questões ligadas à genitália e foi para aumentar, não diminuir.

Como chegamos até aqui?

No livro *A origem do mundo: uma história cultural da vagina ou A vulva vs. o patriarcado* (Quadrinhos na Cia), a quadrinista Liv Stromquist foi investigar exatamente por que temos essa relação complicada com as nossas vulvas.

Uma de suas descobertas é que, por muitos séculos, a vulva era adorada e retratada em tamanho grande em diversas obras de arte. No entanto, pensadores e cientistas – que Liv chama de "homens que se interessaram um pouco demais por aquilo que se costuma chamar de 'genitália feminina'" – foram construindo ideias e "saberes científicos" que passaram a colocar a vagina e a vulva na situação que conhecemos.

Como bem resume a educadora sexual Julieta Jacob: "em 1969 o homem pisou na lua; em 1982 foi inventada a internet; em 1996 o Viagra foi patenteado e só em 1998 foi descoberta a anatomia completa do clitóris. Isso diz muita coisa sobre como encaramos e legitimamos a sexualidade feminina".

A VULVA IDEAL NÃO EXISTE

A forma como nos referimos à genital já diz muito sobre como ela é encarada. "Até na literatura médica, o próprio fato de a gente falar da vagina quando quer falar da vulva diz muito. A vagina é só o canal que vai do hímen até o colo do útero. Então essa fala favorece a ideia do órgão sexual feminino como um receptáculo", explica a antropóloga Bruna Kloppel.

Isso vem de uma longa cultura que enxerga a sexualidade feminina basicamente de duas formas: meramente focada na reprodução, ignorando o prazer, e como a falta do pênis, o buraco que deve ser preenchido por ele.

Essa ideia foi construída com a ajuda de muitos fatores. Desde a ciência, que por anos ignorou a existência do clitóris, até a pornografia tradicional, que foca em retratar vulvas infantis, sem pelos e sem volume, o que chega inclusive aos brinquedos infantis como a Barbie, que não tem nada além de um risquinho entre as pernas.

RESULTADO: DA FALTA DE PRAZER A DOENÇAS

O resultado da idealização de uma vulva perfeita não é apenas as milhares de cirurgias plásticas íntimas. A ginecologista Bruna Wunderlich conta que uma das coisas mais comuns em seus consultórios são pacientes que nunca olharam para suas genitais. "Muitas pacientes aparecem com lesões que não sabem que têm. E se eu não sei como meu corpo é, eu também não sei como ele sente. Como eu vou exercer plenamente minha sexualidade?"

Segundo ela, a principal consequência desse desconhecimento é a vulnerabilidade em que as mulheres se colocam. "A gente acha que o nosso natural é errado e isso é um problema grave, porque significa que você vai ter que mudar o tempo todo, se adaptar o tempo todo", afirma.

E isso é desenvolvido desde a infância, quando as meninas são desestimuladas a explorar o próprio corpo (ao contrário dos meninos, que são encorajados). Não é só a vida sexual que é afetada nessa equação, mas também a autoestima. Isso gera problemas emocionais e disfunções sexuais, que se refletem até no exercício dos direitos sexuais e reprodutivos.

FECHAR AS PERNAS? MUITO PELO CONTRÁRIO

Quantas vezes você ouviu na sua vida a interjeição "fecha as pernas, menina"? Ainda que essa frase seja bastante comum, um movimento contrário vem crescendo para que as mulheres conheçam e se apropriem cada vez mais de suas vulvas e vaginas. "Desde os anos 1970, pelo menos, tem vários movimentos das mulheres pegarem espelhos e espéculos para conhecerem suas vaginas, o colo do útero", lembra a antropóloga Bruna Kloppel.

Recentemente, esse movimento vem ganhando novas formas no Brasil, com as mais variadas iniciativas. Tem clitóris 3D para se familiarizar com o órgão do prazer, aulas e espaços para desconstrução dos tabus, curso para a mulher aprender a se masturbar e até aula de ejaculação feminina.

Para quem não quer fazer um curso, ou não se sente confortável, um bom começo é comprar um espelho e começar a encarar a sua buceta com mais frequência. Aproveite!

PUTAFOBIA E O DIREITO DE COBRAR POR SEXO

AMARA MOIRA

A verdade é que certos feminismos têm horror à ideia de prostitutas conseguindo fazer de sua atividade uma profissão segura e lucrativa, o que lhes permitiria, dentre outras coisas, decidir se continuariam ou não a exercendo. O que motiva esse horror? A incapacidade de pensarem o sexo pago para além da ideia de estupro, por considerarem que o nosso consentimento é obtido única e exclusivamente através do dinheiro que o cliente nos paga.

Não é culpa da prostituição que a grande maioria das trabalhadoras sexuais exerça a atividade em condições precárias ou a preços irrisórios, mas sim das opressões estruturais que condicionam essas pessoas a trabalhar nessas circunstâncias, as mais importantes dessas opressões sendo justamente pobreza, machismo, racismo, xenofobia e transfobia. Esse não é, contudo, o raciocínio que segue boa parte das feministas, aquelas que preferem acreditar que, se existem mulheres trabalhando nessas condições precárias, então é forçoso eliminar não essas condições mas o trabalho sexual em si.

É certo que quanto menos o cliente nos paga, mais ele se sente dono do nosso corpo, e é de fato um questionamento válido perguntar-se se o sexo nessas condições não seria em verdade estupro, mas daí a concluir que qualquer sexo pago seja estupro é um passo que convém ser melhor examinado. Já que o sexo é uma experiência humana incontornável, por que não pensá-lo como um saber valorizado a ponto de se poder cobrar por ele?

Numa sociedade que dá tanta importância ao sexo e ao mesmo tempo pune violentamente a sexualidade da mulher, grande parte delas só desenvolvem o saber necessário para o trabalho sexual quando se veem obrigadas a isso pelas opressões a que estão sujeitas. Mas é o mesmo estigma que proíbe à mulher praticar e entender de sexo que é o maior inimigo das prostitutas. Nosso saber e suor valem menos quando estamos sujeitas a esse estigma entre tantas outras opressões.

Qual a prioridade, então, da perspectiva do movimento organizado de prostitutas? Lutar por melhores condições de trabalho, por melhor remuneração, pelo fim do estigma, coisas que só podem existir à medida que construamos uma sociedade capaz de respeitar e valorizar a mulher que exerce sua sexualidade.

Percebam, no fim das contas, que nos proibir de exercer a atividade (ou o cliente de contratar o serviço) não ameniza em nada a precariedade de nossas vidas, além de tentar nos condenar a transar só de graça (doce ilusão) e ignorar o valor que o nosso saber sobre sexo possuiria – e isso não podemos aceitar. Como diria Georgina Orellano, liderança do movimento argentino de prostitutas, "se não posso cobrar por sexo, essa não é minha revolução". Liberdade para a categoria de prostitutas não é nos salvar da prostituição, mas sim criar condições para que nós mesmas decidamos com que saberes vamos garantir nossa subsistência.

CULTURA DO ESTUPRO: ELA EXISTE E ESTÁ DENTRO DA SUA CASA

LETICIA BAHIA

Em 2018, no Brasil, aconteceu um estupro a cada 12 minutos. Quer dizer, na verdade foram mais. É que esse número estarrecedor só dá conta dos estupros reportados. Segundo dados oficiais do Sistema Nacional de Informações de Segurança Pública (Sinesp), foram registradas 48.360 ocorrências do crime. As tantas mulheres que por medo, culpa, vergonha ou pelo motivo que for, não denunciaram a violência sexual de que foram vítimas não estão incluídas nesse número. Portanto, enquanto você estiver lendo esse texto, tenha em mente que muitas mulheres estão sendo estupradas.

"'Mulheres?' Por que as feministas falam como se só mulheres fossem estupradas?" Ao contrário do que já afirmou o presidente Jair Bolsonaro quando era deputado, ninguém merece ser estuprado. Imprescindível mencionar a tragédia do amazonense Heberson Oliveira, um homem que hoje está entre os milhões de brasileiros que vivem com HIV. O vírus é a cicatriz invisível e latejante dos estupros que Heberson sofreu na prisão, onde passou mais de dois anos acusado de um crime que não cometeu. Sim, é preciso chorar pelos milhares de Hebersons esquecidos em algum canto do Brasil. Mas é preciso falar sobre mulheres porque é às custas dos nossos corpos que os números do estupro no Brasil são tão alarmantes. É preciso falar sobre o estupro de mulheres porque nós sabemos o que é viver com medo de ser a próxima vítima.

Em março de 2014 o IPEA publicou um relatório baseado nos dados oficiais do Sistema de Informação de Agravos de Notificação (Sinan) e do Departamento de Informática do Sistema Único de Saúde (Datasus). Descobrimos ali que 88,5% das vítimas de estupro são mulheres. Quando nos debruçamos apenas sobre a população adulta, o número alcança os impressionantes 97,5% de vítimas do sexo feminino.

Talvez você não saiba, mas fatalmente conhece alguma dessas mulheres. Eu conheço quatro. Em comum, elas têm o fato de que seus agressores nunca foram acusados – pelo menos não por elas. Duas foram abusadas quando crianças e por pessoas conhecidas – como 32,2% das crianças abusadas, ainda segundo o IPEA. Uma delas contou sobre o estupro para sua mãe, uma mulher simples que, temendo uma reação violenta do marido, instruiu a filha a manter o ocorrido em segredo.

O que fazer quando as mulheres acreditam a tal ponto na própria impotência que uma filha não pode contar com a própria mãe para defendê-la? Neste caso, pedir ajuda não ajudou em nada, e os estupros continuaram a acontecer até que a idade dessa mulher a tornasse desinteressante para o pedófilo.

A outra criança eu conheci nos meus anos de psicóloga clínica, quando uma mulher de 36 anos sentou-se no meu consultório com um segredo escondido por 30 anos. Quando ela me contou sobre o abuso sofrido, tão remoto e tão presente, eu pude ver o peso em sua coluna encurvada se desfazer à luz da revelação. Seus olhos ariscos pareciam duvidar de mim quando eu disse que não, a culpa não era dela. Mas, mesmo incrédula, ela ficou. Assim começaram os meses que passamos juntas, ao longo dos quais ela foi construindo uma nova versão de sua história. A vida toda ela fora culpada, mas naquele momento começava finalmente a ser vítima.

Uma das vítimas adultas engravidou e realizou um aborto. Anos depois, quando aos 7 meses de gestação ela perdeu uma criança que já tinha nome e enxoval, novamente ela se lembrou de que a culpa era dela, sempre dela, embora os médicos lhe dissessem de todas as maneiras possíveis que não havia relação entre o aborto de outrora e o filho perdido.

Foi também em meu consultório que uma jovem de 19 anos me contou que havia sido estuprada em três ocasiões diferentes por três homens diferentes. Estivemos juntas por não mais do que um mês. Ela não conseguia fazer o que se faz em terapia, que é olhar para si. Na verdade, ela mal conseguia colocar sua voz para fora dos pulmões. Nos olhos, as lágrimas contidas de quem não acredita ter direito de chorar a própria tragédia. Não sei se por culpa, medo, vergonha ou se por inabilidade minha – um terapeuta nunca sabe ao certo por que um paciente abandona a terapia – ela sumiu. Essa mulher eu não pude ajudar.

A tragédia de Heberson não é maior nem menor do que a dessas mulheres. Mas as pilha e pilhas de corpos femininos desmanchados por histórias de violência sexual nos obrigam a investigar uma verdade incômoda: os homens estupram muito mais do que as mulheres. Os agressores do sexo masculino representam entre 93% e 97%, diz o IPEA.

É comum encontrar quem tente explicar esse dado desconcertante recorrendo ao argumento fácil e falso de uma suposta natureza masculina. Falam em testosterona, em instinto de perpetuação da espécie. Alegam que desejo sexual é coisa de homem, quando a anatomia da mulher revela o contrário: o clitóris é o único órgão que não tem outra função além do prazer sexual. Essas pessoas supõem que, como os bichos, os homens são incapazes de controlar o suposto instinto – mas nem por isso, é claro, autorizam-nos a tratá-los como animais. E, neste ponto, estamos de acordo: não será concedida aos agressores a indulgência da irracionalidade. Nós os trataremos como os adultos que são, capazes de assumir a responsabilidade por escolher cometer um estupro.

Por que, então, os homens estupram tão mais do que as mulheres? Se a resposta não está na natureza, somos forçados a buscá-la na cultura. E aqui chegamos à expressão que faz tanta gente correr desse assunto, e que nos obriga a reconhecer que estamos sendo coniventes com um cenário que não poderia levar a outra coisa senão a mais de 48 mil estupros reportados por ano. Esses estupros continuarão acontecendo enquanto não pudermos reconhecer e discutir com responsabilidade esse quadro que só tem um nome: cultura do estupro.

A temida expressão foi cunhada pelo movimento feminista na década de 1970 e designa o conjunto de crenças que normaliza a violência contra a mulher, criando um cenário em que os homens são encorajados a agredir e as mulheres são culpabilizadas pelos abusos sexuais sofridos. Não, não é coisa do mundo dos unicórnios: a cultura do estupro é tão real quanto Heberson e as quatro mulheres que conheci. Quando vamos começar a ouvir seus gritos? Já não é hora de começar a pensar como estamos educando nossos homens? Até quando vamos tolerar que se repita por aí que "ela estava pedindo"?

Só o olhar crítico pode nos redimir. Quem se omite e nega a cultura do estupro se torna cúmplice dos agressores de Heberson, das quatro mulheres e de tantas outras. Para fazer parte dessa trama sórdida não é preciso ser publicitário, trabalhar no programa do Faustão ou vazar um vídeo privado na internet. Basta não fazer nada.

Basta não fazer nada diante das tantas propagandas – de cerveja, de carros, perfumes – que colocam a mulher como objeto a serviço do prazer masculino. Reduzidas a "coisas", as mulheres de boa parte da propaganda brasileira não têm desejo, não são sujeitos. Muitas vezes elas não têm rosto. Ao lado do produto, apenas um corpo com pouca roupa. O que é que está sendo vendido ali? Quantas vezes na vida de um adolescente de 15 anos esse tipo de imagem – e esse tipo de ideia – já não foi repetida?

Durante as tardes de domingo, desde 1989, Fausto Silva pronuncia todo tipo de baboseira enquanto cerca de 20 mulheres com pouca roupa adornam o cenário do programa da família brasileira. Repetindo: há 30 anos somos coniventes com um programa que usa mulheres como enfeite, como decoração, tal qual você faz com o vaso da sua sala. Nas tardes de sábado, o privilégio é do apresentador Luciano Huck, que diz que quer ser presidente do Brasil. O que estão registrando as crianças que assistem a esses programas?

Mas a cultura do estupro não é privilégio dos programas ou marcas populares. Dolce & Gabbana e Gucci, por exemplo, têm peças publicitárias que nos ajudam a desconstruir – é preciso fazer esse trabalho sempre – o mito de que estupro está relacionado à pobreza. Elas glamourizam cenas de mulheres subjugadas e tacitamente afirmam: "vejam, garotos, é assim que se trata uma mulher. É assim que elas gostam. Elas estão pedindo. Pretas ou brancas, ricas ou pobres, vocês sabem o que elas querem".

A versão menos glamourosa está no RedTube, o site pornô que mostra para quem quiser ver como é que se come uma mulher. É ali que milhões de adolescentes aprendem o que é sexo. E ali eles aprendem que sexo envolve mulheres sentindo dor. Sexo, eles aprendem, envolve puxar pelo cabelo e "mostrar pra ela", envolve enfiar o pênis na garganta mesmo que ela esteja engasgada e lacrimejando. Aula de misoginia para machista nenhum botar defeito. De graça, disponível no smartphone mais perto de você – e do seu filho.

Quando os meninos viram homenzinhos, vão com seus pais ao salão do automóvel, onde a Ferrari vai corroborar a tese da Dolce & Gabbana e da Gucci de que "Yes, nós, ricos, temos cultura do estupro!". Mesmo que os rapazes jamais possam ter aquele carrão, com sorte eles poderão ter o avião pousado sobre o capô. O que estamos dizendo quando colocamos uma mulher seminua para vender um carro? Bem, todo mundo sabe que mulher vende. Quanto menos roupa, mais dinheiro. E dinheiro – sabemos – é o que realmente importa. "Foda-se se estou contribuindo para ensinar meninos que mulheres estão aí para que a gente possa apreciar seus peitos e bundas. É assim que a banda toca, por que eu é que tenho que fazer diferente?".

Mas, e nós? O que a cultura do estupro está ensinando às mulheres? Nós estamos aprendendo a sentir vergonha da nossa própria nudez, exceto quando ela está a serviço do prazer masculino – nas revistas, na TV, na pornografia. Estamos aprendendo que se nossos maridos querem sexo, nós devemos isso a eles, porque nosso desejo é menos importante do que o desejo deles. Estamos aprendendo que "homens são assim mesmo", e que temos que nos policiar para não atiçar o desejo adormecido e incontrolável de um estuprador. Estamos aprendendo que a culpa é nossa, que cabe à mulher não ser estuprada, e não aos homens não estuprar. Estamos aprendendo a chamar a coleguinha de escola de vagabunda por causa da roupa que ela escolheu, e aprendemos que ela não tem o direito de escolher. Nós estamos aprendendo que nossos corpos não nos pertencem.

E aí? O que fazer diante de tudo isso? Não é fácil, mas é possível virar esse jogo. Constatar que o problema não está na genética, mas na cultura, é reconhecer que ele não está escrito em pedra – e tem muita gente trabalhando para escrever outra história. Sim, é hora de respirar com alívio e descobrir que dá trabalho, mas dá para mudar. A primeira coisa que você pode fazer é conversar com as pessoas sobre a cultura do estupro. É preciso que sejamos implacáveis. Por vezes, seremos acusados de moralistas. Não importa: isso não é nada perto da acusação de cumplicidade nos estupros de Heberson, das quatro mulheres que conheço e de tantas outras. Não existe outro jeito. Não há perspectiva de discussão sobre os direitos das mulheres em Brasília, como deixou claro o deputado Eduardo Cunha. A televisão não vai mudar. A publicidade não vai mudar. Não espontaneamente. Não sem que a gente perca o medo e comece a discutir a cultura do estupro na TV, nos jornais, nas redes sociais. Quando você vir, aponte. Pelo Heberson, pelas quatro mulheres que você conheceu neste texto, e pelas milhares que estão esvaziadas por aí. Há muitos documentários e artigos sobre cultura do estupro. Pesquise, mostre aos seus amigos. Não tenha medo de ser chata. Tenha medo de que mais estupros aconteçam.

O DIREITO AO PARTO COMO VOCÊ QUISER

CAROLINA VICENTIN

A advogada Gabriela Nunes teve o parto que sempre quis. O filho Theo nasceu de forma natural e respeitosa em um hospital da rede pública, na região central de Brasília, em maio de 2015. Theo ficou no colo da mãe por mais de uma hora antes de ser pesado e medido, só teve o cordão umbilical cortado quando cessaram as pulsações e mamou – tudo conforme os protocolos do Ministério da Saúde e da Organização Mundial da Saúde (OMS). A história de Gabriela, entretanto, ainda é uma exceção entre as mulheres que recorrem ao Sistema Único de Saúde (SUS) para terem seus bebês.

Apesar de o governo ter estabelecido o parto humanizado como regra na rede pública, as mulheres ainda vivem um sorteio em que as chances de tomar decisões sobre o próprio corpo dependem do bom humor do plantonista. "Você não pode 'desligar' em momento algum. Ninguém pergunta se você aceita ser submetida a determinado procedimento, eles simplesmente vão fazendo", reclama a artesã Sandra Barbosa Dias, mãe de Kalel, nascido em 2014.

Campanhas de esclarecimento e treinamento dos funcionários em humanização não têm sido suficientes para transformar esse quadro. Na tentativa de reduzir a chamada violência obstétrica (veja glossário), a Associação Artemis, que luta pela autonomia feminina, e a Associação Brasileira de Obstetrizes e Enfermeiros Obstetras (Abenfo) criaram um projeto de lei que pretende garantir às mulheres o direito ao parto humanizado, se essa for sua escolha, tanto na rede pública quanto na privada. Se o PL 7633 for aprovado, maternidades que saírem da linha podem até perder financiamento público.

"Toda mulher deve ter o direito de tomar decisões no que diz respeito ao seu corpo – e como ela vai dar à luz ao seu bebê é uma delas", ressalta o deputado Jean Wyllys (PSOL/RJ), responsável pela proposição da lei ao Congresso. O projeto tenta garantir o cumprimento de determinações do Poder Executivo já existentes. "As regulamentações não são cumpridas justamente por não terem força de lei. Essa é a alegação de vários hospitais em processos judiciais movidos por mulheres que foram lesadas no parto", afirma Wyllys.

O CAMPO DE BATALHA DO PARTO

Histórias de gestantes que brigam por seus direitos enquanto enfrentam as dores do parto existem aos montes no SUS. Quando o filho estava nascendo, no hospital de Santa Maria, região administrativa de Brasília, Sandra teve de ameaçar um dos enfermeiros que veio empurrar sua barriga para "ajudar o neném a sair". O procedimento, conhecido como manobra de Kristeller, é ultrapassado e pode causar lesões graves à mãe e ao bebê.

A professora Maristela Holanda precisou enfrentar o obstetra que a atendeu no nascimento de seu filho caçula, em 2013. Depois de ouvir do profissional que "aqui a gente estudou, sabemos o que é melhor para você", Maristela apelou para evitar uma episiotomia (corte na vagina, outra prática rotineira ultrapassada e de potenciais consequências graves): "O que eu sei é que o senhor vai fazer um procedimento no meu corpo sem a minha autorização na frente de quatro testemunhas", afirmou, afastando o médico.

Maristela é mãe de cinco filhos – quatro nascidos em hospitais do SUS no Distrito Federal. "A assistência ao parto parece uma loteria. Você precisa ter sorte para pegar um bom plantonista, que seja atualizado e que te trate com respeito", comenta. Quando isso não acontece, o risco de sofrer violência obstétrica – incluindo a realização de uma cesariana desnecessária – é grande. Em todo o país, o índice de cesáreas é de 55%, chegando a 84% se considerada apenas a rede privada. A OMS recomenda que, no máximo, 15% dos nascimentos ocorram de forma cirúrgica.

EM BUSCA DE RESPEITO

Na tentativa de viver o nascimento de seus filhos sem intervenções desnecessárias, muitas mulheres tentam recorrer aos centros de parto normal. Nesses locais, a assistência é feita por enfermeiras obstetras, profissionais cuja formação é voltada para o atendimento humanizado às gestantes. "Desde o começo, somos treinadas para respeitar a privacidade das mulheres, trabalhar com métodos não invasivos de alívio da dor e respeitar a fisiologia do corpo feminino", explica Ana Lígia da Silva Sousa, da Associação Brasileira de Obstetrizes e Enfermeiras Obstetras (Abenfo) do DF.

Na capital federal, a Casa de Parto de São Sebastião concentra esse tipo de assistência pelo SUS. O local, contudo, conta com apenas três salas de parto, onde ocorrem de 30 a 40 nascimentos por mês. Além disso, desde 2014, só podem ser atendidas pela Casa de Parto as grávidas que vivem ou fizeram seu pré-natal em São Sebastião, devido a uma determinação da Secretaria de Saúde.

A coordenadora da área de Ginecologia e Obstetrícia da Secretaria, Marta de Betânia Teixeira, afirma que a chamada portaria de vinculação não é impositiva e foi estabelecida para evitar que as mulheres ficassem "peregrinando" de um local para o outro em momento delicado como o do trabalho de parto. "Parece que só existe a Casa de Parto. Isso acaba estigmatizando negativamente as outras 10 maternidades do DF, que também têm capacidade de prestar uma assistência adequada", argumenta.

Na prática, contudo, muitos profissionais da saúde são desatualizados e adotam procedimentos de rotina que, comprovadamente, trazem mais prejuízos do que benefícios às mulheres e a seus bebês. A coordenadora Geral de Saúde das Mulheres do Ministério da Saúde, Esther Vilela, diz que a pasta tem investido na mudança do modelo de atenção obstétrica e neonatal. "Isso, porém, implica não só uma adequação das práticas e dos serviços de saúde, mas uma mudança do ensino em obstetrícia e, em um sentido mais amplo, da cultura brasileira frente ao parto e ao nascimento", pondera.

ACESSO À INFORMAÇÃO

Além disso, mulheres menos escolarizadas não sabem que existe a possibilidade de ter um parto respeitoso e, com isso, acabam sendo as maiores vítimas da violação de direitos.

"Quanto menos instrução, menos explicação elas recebem", lamenta a doula e educadora perinatal Adele Valarini. "Essas mulheres foram acostumadas a ouvir que o 'remédio' (ocitocina sintética) vai ajudá-las a fazer força. Que, ao empurrar a barriga, os enfermeiros estão ajudando o bebê a nascer", exemplifica.

A dona de casa Judilva Marques dos Santos considera que o atendimento durante o parto de sua filha caçula, em 2014, foi satisfatório. Ela ouviu, entretanto, que, se não gritasse durante as contrações, nem fizesse "escândalo", o médico seria "bom" e não a faria "sofrer". Judilva também recebeu a ocitocina sintética, depois de ficar cerca de cinco horas com a mesma dilatação (parada de progressão, algo muito comum quando a gestante entra no ambiente hospitalar). "Nessa hora, eles me disseram que eu sentiria dor sem parar, mas que era para o meu bem", lembra.

Com tantos riscos, muitas mulheres têm deixado para ir ao hospital somente quando estão prestes a ganhar o bebê. As que têm condições de contratar uma equipe de acompanhamento pré-hospitalar o fazem, as que não têm contam com sua própria experiência no assunto. A dona de casa Marcina Gonçalves Nogueira esperou o máximo que pôde para ir ao hospital ganhar sua terceira filha. "Eles fazem muitos exames de toque na gente, é muito ruim", reclama.

Ainda assim, Marcina não conseguiu impedir abusos. Ao chegar na recepção de um hospital público do centro de Brasília com a cabeça da neném coroando, ela ouviu do segurança que precisava aguardar sentada. Marcina teve que segurar a vontade de empurrar (que ocorre na hora do período expulsivo do trabalho de parto) e se trancou com o marido no banheiro da recepção, em busca de mais privacidade. A pressão dos outros pacientes que aguardavam no local levou o médico a ir buscar Marcina para, finalmente, levá-la à sala de parto. "Depois, eles pediram licença para levar minha filha à recepção, para que as pessoas tivessem certeza de que estávamos bem", conta a dona de casa.

O QUE VAI MUDAR SE A LEI FOR APROVADA

O PL 7633 garante a assistência humanizada às mulheres durante a gestação, o parto e o pós-parto, incluindo nos casos de aborto. Se for aprovado, a gestante terá o direito de elaborar um plano de parto, um documento no qual ficarão registradas todas as suas opções para o momento do nascimento do bebê. Qualquer procedimento que não respeite as decisões da mulher deverá ser anotado no prontuário pelo médico, com uma justificativa clínica. Também serão privilegiados métodos não invasivos para o alívio da dor, mas a gestante poderá pedir a anestesia, caso seja essa sua vontade.

Para garantir o cumprimento dessas disposições, o projeto de lei prevê que todos os municípios do país tenham comitês de fiscalização das maternidades públicas e privadas, as chamadas comissões de monitoramento do índice de cesarianas e das boas práticas obstétricas. Profissionais de saúde e de defesa dos direitos humanos farão parte desses grupos e serão responsáveis pela investigação dos hospitais e dos profissionais que não se adequarem à lei.

O hospital do SUS que ultrapassar o índice de cesarianas recomendado pela OMS (à exceção das unidades que recebem mais casos de alto risco) poderá ter o repasse de dinheiro público para esse tipo de cirurgia suspenso por 30 dias. Já as maternidades particulares poderão ser desautorizadas a fazer o procedimento pelo mesmo período.

O projeto de lei ganhou força depois que uma ação judicial obrigou uma mulher a ser submetida a uma cesariana contra sua vontade, no Rio Grande do Sul, em 2014. Adelir Carmen Lemos de Góes estava em casa, em trabalho de parto, quando um oficial de Justiça chegou acompanhado de dois policiais para levá-la ao hospital. As justificativas médicas apresentadas na ação foram duramente contestadas, inclusive por profissionais da saúde. O caso se transformou em revolta e bandeira para as ativistas da Associação Artemis.

"Esse projeto (o PL 7633) não é um radicalismo. Mulheres de todas as classes sociais e crenças passam por violência obstétrica. Isso é um assunto de toda sociedade", aponta Ana Lúcia Keunecke, diretora jurídica da organização. O PL 7633 está na Comissão de Educação da Câmara dos Deputados. Ainda será discutido nas comissões de Seguridade Social e Família e Constituição, Justiça e Cidadania, para, então, ir ao Plenário da Câmara.

Para Ana Lúcia, dois dos maiores desafios para a aprovação do projeto são o fundamentalismo e o lobby das associações médicas e dos planos de saúde no Congresso, já que cesáreas geram mais lucros e evitam que médicos tenham que fazer plantão enquanto esperam o tempo natural do corpo da mulher.

Aprovar a lei é também vencer uma das batalhas contra o machismo que impera na sociedade brasileira e influencia também o parto: "O correto é que não precisássemos de uma lei dessas, já que o Brasil é signatário de diversos acordos internacionais sobre direitos das gestantes, mas eles não são respeitados. Atualmente, o corpo da mulher não pertence a ela na hora do parto. Ele é do médico ou médica. A lei que criamos referenda a autonomia feminina", reforça Ana Lúcia. Quem sabe, assim, mais mulheres terão o parto dos sonhos como Gabriela.

PEQUENO GLOSSÁRIO DE TERMOS RELACIONADOS AO PARTO

PARTO HUMANIZADO É o processo de parto no qual a fisiologia do corpo da mulher é respeitada. Ele ocorre com o mínimo de intervenção médica possível, sempre levando em consideração a vontade e o bem-estar da mãe. O profissional da saúde se torna um espectador, alguém que está presente para dar segurança à gestante e intervém apenas se houver algum problema. Parto humanizado está relacionado a uma conduta e não a um local; pode ocorrer em casas de parto, em hospitais ou no domicílio da família.

DOULA Profissional que acompanha o parto, dando apoio físico, psicológico e afetivo à gestante. Normalmente, ficam com as mulheres desde as primeiras contrações. Também prestam assistência antes e depois do nascimento do bebê; orientam sobre os tipos de parto, riscos e benefícios. Doulas não podem atuar clinicamente, ou seja, não podem ouvir o coração da criança ou fazer exame de toque. Isso cabe ao profissional de saúde (obstetra ou enfermeiro obstetra).

ENFERMEIRA OBSTETRA Enfermeira que faz especialização em obstetrícia. Pode acompanhar partos naturais de risco habitual (a maioria dos partos), mas não pode realizar cirurgias. No Brasil, tem havido um estímulo à formação das enfermeiras obstétricas, para melhorar a assistência às mulheres.

EPISIOTOMIA Corte feito na vagina para acelerar a saída do bebê. Em alguns casos, a episiotomia pode ser necessária (estudos de medicina baseada em evidências indicam que em não mais de 10% dos casos). No entanto, em muitos hospitais, ela ainda é um procedimento de rotina.

MANOBRA DE KRISTELLER Movimento no qual o profissional de saúde pressiona a parte de cima da barriga da gestante (pressão no fundo do útero) para forçar a saída do bebê. A manobra não é recomendada pela OMS, pois expõe a mulher a uma dor desnecessária e traz risco de dano ao períneo (região entre o ânus e a vagina), ao assoalho pélvico e ao útero, que pode se romper.

OCITOCINA SINTÉTICA Também chamada de "remédio de força", a ocitocina é um hormônio produzido pelo corpo da mulher durante o trabalho de parto para gerar as contrações. Sua versão sintética tem indicações médicas (por exemplo, pode ajudar a controlar hemorragias). O uso indiscriminado e rotineiro para acelerar o nascimento, porém, traz riscos à saúde da mãe e do bebê, uma vez que não é possível ter certeza absoluta sobre os efeitos da droga no útero de cada mulher.

VIOLÊNCIA OBSTÉTRICA Toda violência, física ou psicológica, sofrida pela mulher nas instituições de saúde antes, durante e depois do parto. São considerados atos de violência obstétrica: dar falsas indicações de cesariana, obrigar a mulher a ficar deitada ou sem comer e beber durante o trabalho de parto, impedi-la de ter um acompanhante e constrangê-la com frases como "não adianta gritar, o bebê não vai nascer mais rápido".

ABORTO: UMA QUESTÃO DE VIDA OU MORTE — E LIBERDADE

HELENA BERTHO

Falar de feminismo sem falar de aborto é praticamente impossível. Por mais que esse seja um tema polêmico para a sociedade, dentro do feminismo a descriminalização é uma bandeira praticamente unânime. Não se trata, necessariamente, de ser a favor do aborto, acreditar que ele é sempre a alternativa certa nem sequer pregar que alguém o realize. Trata-se, apenas, de ser a favor da escolha individual de cada mulher de acordo com as próprias crenças, mesmo que elas conflitem com as suas, e também de acreditar que é preciso cuidar das vidas das mulheres que têm morrido devido ao aborto inseguro.

A luta pela descriminalização do aborto foi construída com base em dois argumentos principais: o direito da mulher sobre o próprio corpo, com autonomia sexual e reprodutiva; e a urgência de salvar vidas de mulheres que tentam abortos clandestinos, o que é uma questão de saúde pública. Em 2016, uma mulher morreu a cada dois dias em decorrência de abortos inseguros, segundo dados do Ministério da Saúde.

Ou seja: falar de aborto é falar, ao mesmo tempo, de direitos individuais e de direitos coletivos. Mas são dois conceitos que se cruzam e interferem um no outro em todas as áreas. Os direitos individuais são consequência do que acontece na esfera pública e a esfera pública é também fruto do que o conjunto de indivíduos realiza. Por isso, é preciso entender que falar de aborto é muito mais do que falar daquilo que você, enquanto indivíduo, acredita. É algo que diz respeito a todas as mulheres e – por que não? – a toda a sociedade.

Vale saber que, atualmente, o aborto no Brasil é legal em apenas três casos: anencefalia do feto, risco de vida para a mãe e estupro.

A AUTONOMIA SEXUAL E REPRODUTIVA

Quando falamos em autonomia sexual e reprodutiva, estamos nos referindo ao direito das mulheres decidirem quando, como e se querem ter filhos. Esse é um assunto de extrema importância porque a maternidade compulsória tem sido, até hoje, uma forma de controle sobre as mulheres. Quando uma sociedade patriarcal determina que todas as mulheres têm uma vocação natural para serem mães, em geral, leva o argumento mais longe e o usa como desculpa para deixar para elas a maior parte das responsabilidades com a criação dos filhos. Isso acaba por impedir que tenham tempo livre para participar da vida profissional e política em plenitude. Não é de se estranhar que, segundo uma pesquisa da Fundação Getúlio Vargas, metade das mulheres são demitidas na volta da licença-maternidade, e só 15% do Congresso Nacional eleito em 2018 seja composto por mulheres.

Além disso, a conexão entre maternidade e sexualidade tem sido historicamente usada para restringir a liberdade sexual das mulheres. Se o ser mãe está ligado a uma concepção tradicional de família, ele coloca um peso moral sobre o ato sexual. Assim, os métodos contraceptivos e o aborto serviriam para desvincular um do outro, permitindo que as mulheres pudessem explorar a sexualidade da mesma forma que os homens: como forma de prazer e não apenas como ato reprodutivo.

Feministas lutam pela autodeterminação sexual das mulheres, partindo da premissa de que, para que elas atinjam uma posição de equidade com os homens na sociedade, elas devem ter o poder de decidir os usos sexuais e reprodutivos do próprio corpo. Os meios para se conquistar isso são muitos: educação sexual, com conhecimento e informação sobre sexualidade, acesso a métodos contraceptivos e o aborto.

A QUESTÃO DE SAÚDE PÚBLICA

A luta pelo aborto tem outra, e mais forte, abordagem que foca a discussão no aspecto público da questão. Esse enfoque ultrapassa o conceito de que a mulher deve ter o poder de decidir o que é feito com o próprio corpo. Para além da liberdade individual, que deve ser apoiada e garantida pelo Estado por meio de políticas públicas, deve haver justiça e igualdade.

Assim sendo, as particularidades de diferentes grupos de mulheres precisam ser levadas em conta. Não basta dizer que o aborto deve ser uma escolha da mulher – afinal, mulheres ricas já têm condições financeiras de fazer abortos seguros em países em que ele é legalizado, e têm o feito aqui a despeito da proibição da lei brasileira. O Ministério da Saúde do Brasil estimou, em 2018, que 1 milhão de mulheres fazem aborto por ano no país.

Nesse cenário, são as mulheres pobres, com pouco apoio familiar e informação, que morrem em clínicas clandestinas. De acordo com dados apresentados pelo Ministério da Saúde ao Supremo Tribunal Federal em 2018, os abortos inseguros levam à hospitalização de mais de 250 mil mulheres por ano.

Em suma: é preciso lutar para que o aborto esteja disponível de maneira segura para todas as mulheres, logo, descriminalizar seria apenas conceder às mulheres de classes baixas um direito que já têm as mulheres de camadas mais altas.

Sob esse ponto de vista, o aborto é uma questão de saúde pública. Mulheres em situação de opressão por sua raça ou condição social têm tido a autonomia sobre seu corpo mais fortemente negada. No Brasil, por exemplo, a falta de acesso à informação e a métodos contraceptivos torna o acesso ao aborto seguro ainda mais necessário para elas. Um estudo do Instituto de Medicina Social da Universidade Estadual do Rio de Janeiro detectou o risco mais de duas vezes maior de óbito por aborto entre as mulheres negras.

Muito além de garantir o direito à escolha, a luta pelo aborto como política pública visa defender a vida dessas mulheres. Tudo isso dentro de um contexto em que os procedimentos que já são permitidos por lei no país – aborto em caso de estupro, risco de vida da mãe ou anencefalia do feto – são constantemente questionados por alas conservadoras do Congresso e da sociedade, com propostas que visam dificultá-los, proibi-los ou até criminalizá-los – só no primeiro semestre de 2019, 19 projetos de Lei nesse sentido foram protocolados na Câmara e no Senado.

O que só reforça a ideia de que a sexualidade da mulher e sua reprodutividade são aspectos da vida que extrapolam a esfera pessoal e tornam-se ferramentas de controle social. E, nesse contexto, a discussão sobre o aborto deve ir além das crenças pessoais. Você não precisa concordar com o aborto, ser a favor dele, nem querer fazê-lo para defender a descriminalização. Basta entender que, em uma sociedade construída sobre princípios laicos, crenças pessoais e religiosas de um não devem cercear a liberdade de outras – muito menos levá-las à morte.

GORDURA É DOENÇA?

CAMILA DE LIRA

Considerada uma das primeiras representações da forma humana, a Vênus de Willendorf é uma estátua de 11 centímetros esculpida cerca de 25 mil anos antes de Cristo. O único consenso em torno da pequena estátua é que ela é uma idealização da figura feminina, a começar pelo nome, que se refere à deusa do amor e da beleza na mitologia romana. No entanto, os significados para a sua forma corpulenta – com seios, barriga, vulva e bunda fartos – foram mudando ao longo dos tempos. Estudiosos sugerem que, em uma comunidade paleolítica caçadora e coletora, ela representava um status social elevado, como símbolo de fertilidade, segurança, sucesso e bem-estar. Hoje, porém, um corpo gordo é visto exatamente na ponta oposta dessa representação: é tido como doente e preguiçoso.

O corpo gordo está envolto em uma série de estigmas sociais e mitos. Entre eles o de que pessoas gordas não são saudáveis pelo simples fato de serem gordas. "A pessoa gorda já é marcada como não saudável de antemão", observa Linda Bacon, psicóloga e nutricionista associada da Universidade da Califórnia, nos Estados Unidos.

A obesidade é classificada pela Organização Mundial da Saúde (OMS) como uma doença cujo único sintoma é o excesso de gordura acumulada no corpo, e tem como indicativo o Índice de Massa Corporal (IMC) acima de 30. Esse indicador é obtido por meio da relação entre o peso e a altura.

Mas será o peso de uma pessoa, de forma isolada, um indicativo de doença? Estudiosos e organizações que questionam a patologização da gordura dizem que não. "O maior estigma com o corpo gordo se deu no momento em que o excesso de gordura passou a ser visto como doença", diz Cezar Barbosa Santolin, pesquisador e professor do curso de Educação Física da Universidade Federal do Mato Grosso do Sul (UFMS).

Já de acordo com o psiquiatra e porta-voz da Associação Brasileira para o Estudo da Obesidade e Síndrome Metabólica (Abeso), Adriano Segal, a obesidade é como a cárie. "O único sintoma da cárie é o dente ter a bactéria da cárie. Para ser considerado uma doença não precisa de mais sintomas", diz o médico. Para ele, não chamar o corpo gordo de doente é "superproteger" essas pessoas.

FOCAR NO PESO PODE FAZER MAL À SAÚDE

O problema do IMC é que ele não contempla todos os fatores da saúde de um corpo, como hormônios, nível de colesterol, hábitos saudáveis de alimentação e atividade física, além da condição mental, diz Linda. "O grande problema de saúde das pessoas gordas é a gordofobia, não é apenas o corpo delas por si só", diz a nutricionista, que é uma das criadoras do movimento Health at Every Size (Saúde em Qualquer Tamanho, em uma tradução livre). O movimento advoga em favor do chamado "body positive", que promove uma visão positiva de corpos em qualquer formato.

Médicos e profissionais de saúde seriam, ao mesmo tempo, reflexo e parte ativa da gordofobia, porque reforçam a visão negativa do corpo, observa Cezar. "A patologização se vincula à estigmatização na medida em que se busca uma homogeneização dos cidadãos, tornando uma diferença um 'estigma' que a sociedade tende a problematizar de algum modo, seja criminalizando ou patologizando, para se legitimar o direito de intervir, transformar e tornar 'normal'", diz o professor.

GORDOFOBIA MÉDICA

Tratar o peso como uma doença atrapalhou o diagnóstico do problema de coluna da jornalista Mariana Kuper, de 27 anos. Ela teve suas dores nas costas tratadas por anos como sintoma de seu sobrepeso até ser diagnosticada como uma hérnia de disco decorrente de um acidente de carro que sofreu aos 19 anos. Desde então começou a ter episódios de dores nas costas, a ponto de travarem e ela não conseguir andar.

A cada crise de dor, ela visitava um médico diferente, que fazia um raio X e dizia sempre a mesma coisa: a dor era resultado de Mariana ser gorda. "Falavam que a solução era emagrecer, porque meu corpo não me aguentava, literalmente. Fiquei dois anos indo de médico em médico, e a recomendação era sempre a mesma", lembra.

Em 2012, a jornalista se consultou com um médico que lhe pediu uma ressonância magnética, suspeitando que o problema no ciático era incompatível com sua idade e peso. "Ali ele descobriu profusões e extrusões na minha lombar, resultados dos anos sem o atendimento correto", conta. Assim, uma lesão provocada pelo acidente se transformou em uma hérnia de disco após dois anos sem o devido diagnóstico.

A constatação de que pacientes com excesso de peso relatam discriminação em ambientes de cuidados de saúde foi o ponto de partida de um levantamento realizado por pesquisadores das universidades de Washington e da Virgínia, também nos Estados Unidos. A partir de entrevistas com pouco mais de 2 mil médicos, a conclusão foi de que os profissionais têm um viés negativo do corpo gordo. "Atitudes negativas implícitas e explícitas sobre peso entre os médicos podem contribuir para interações clínicas abaixo do ideal e para que pacientes com excesso de peso evitem cuidados médicos", conclui o estudo.

Para Juliana Kassar Cordoni, pesquisadora e professora da Faculdade de Medicina do ABC, é importante considerar o impacto de percepções, ideias, representações e crenças daqueles que se dedicam ao atendimento e tratamento de pacientes gordos. "A presença de ideias predominantes de rejeição e crítica pode influenciar o tratamento, comprometendo-o, já que não favorece a empatia, a compreensão, o acolhimento e outros subsídios necessários para uma abordagem adequada da obesidade como patologia multifatorial", afirma.

Ela fez uma pesquisa para identificar a percepção de estudantes da área de saúde sobre a obesidade, em que constatou que, enquanto a figura de uma mulher magra comendo diversos alimentos gordurosos e ultraprocessados foi lida como "comer sem culpa" por 25% dos estudantes, a imagem de quatro mulheres gordas de biquíni teve a resposta de "nojo" e "bizarro" por quase 28% dos entrevistados.

CIRURGIA E DIETAS

Em 2017, foram realizadas 105,6 mil cirurgias bariátricas no Brasil, segundo a Sociedade Brasileira de Cirurgia Bariátrica e Metabólica (SBCBM). O número cresceu 47% em cinco anos. Em 2016, o Conselho Federal de Medicina (CFM) ampliou de seis para 21 o número de comorbidades (duas ou mais doenças em simultâneo na mesma pessoa) que podem ter indicação para realização de cirurgia bariátrica em pacientes com IMC acima de 35.

Asma grave, síndrome dos ovários policísticos e infertilidade foram algumas das doenças incluídas na lista. A estigmatização social também é listada como uma das condições eletivas para a indicação da cirurgia. A cirurgia, porém, não pode ser indicada para questões estéticas ou sem análise de um grupo de profissionais da área da saúde, entre eles gastroenterologista, endocrinologista, cardiologista, nutricionista, psicólogo e psiquiatra, diz Adriano, da Abeso.

Um traço de gênero é observado nos números de bariátricas. Apesar da frequência de adultos considerados obesos ser a mesma entre homens e mulheres no Brasil, são elas que mais realizam a cirurgia. As mulheres corresponderam a 76% das pacientes de bariátricas no Brasil em 2017, de acordo com a SBCBM.

IMPACTOS DA CIRURGIA

Além das mudanças físicas, a cirurgia bariátrica pode trazer consequências psicológicas. Pesquisadores da Universidade de Leipzig, na Alemanha, observaram que pacientes submetidos à cirurgia bariátrica apresentam taxas de suicídio mais elevadas que a população geral. Apoiado pelo Ministério da Educação e

Pesquisa alemão e publicado em 2013, o estudo analisou dados de quase 24 mil pacientes bariátricos de 11 países.

O resultado mostra que a taxa média de suicídio entre os pacientes da cirurgia era quatro vezes maior que a taxa mundial.

Adriano, da Abeso, diz que em seu dia a dia como psiquiatra que acompanha pessoas antes e depois dos procedimentos, o maior risco é de alcoolismo. Com a absorção do estômago reduzida, explica, algumas pessoas podem ficar mais sensíveis aos efeitos do álcool. A taxa de pessoas submetidas a bariátrica que viram alcoólatras é próxima de 20%, segundo o médico.

A PROMESSA DAS DIETAS

As dietas milagrosas e as propagandas de academias têm implícita nas entrelinhas a ideia de que só é gordo quem quer. O cálculo parece ser simples: para emagrecer basta comer menos calorias do que o corpo gasta. "É muito simplista ver a obesidade como uma questão energética. Existem muitas coisas que acontecem no corpo que não só esse balanço", afirma a nutricionista Maria Cláudia Soares Carvalho, professora da Universidade Federal do Rio de Janeiro (UFRJ) e coordenadora do Laboratório Núcleo de Estudos e Ações de Educação Alimentar e Nutricional.

Segundo ela, os hábitos, a condição psicológica, o cotidiano e até a classe social da pessoa se refletem no corpo. "Falar de pessoas é falar de afetos, necessidades, vida, esperança, motivação, exercício físico, hábitos."

As dietas foram uma realidade na vida da estudante Évelyn Galvão, de 26 anos, desde os cinco anos de idade. As pressões vinham primeiro da família, mas eram apoiadas por médicos. "Minha mãe procurava incessantemente médicos porque queria que eu emagrecesse antes de menstruar. Ela dizia que seu não emagrecesse antes da menarca, eu ia ter dificuldades para caminhar e até levantar da cama", conta. Quando tinha sete anos, escutou de uma médica que "se continuasse daquele jeito, nunca deixaria de ser uma baleia".

As dietas foram muitas, entre chás, shakes e remédios para reduzir o apetite. Mas, quanto mais ela tentava emagrecer, mais peso ganhava. Évelyn acabou fazendo as pazes com a comida e com seu corpo quando a pressão para que emagrecesse diminuiu e sua autoestima melhorou, por volta dos 20 anos. "A vida passou a ser mais leve e, ironicamente, eu emagreci um pouco", conta a estudante, cujos exames médicos estão em dia e indicam que ela está saudável.

DE MÃOS DADAS COM MACHISMO E RACISMO

Dietas altamente restritivas acompanharam Luana Nazareth, de 29 anos, na sua relação com o balé desde bem cedo. Negra, com coxas grossas e quadris largos, características já incomuns no balé clássico, ela não se via representada na dança. "Nem a sapatilha e a meia-calça eram da minha cor," conta.

A dificuldade do mundo da dança, ampliada pela falta de diversidade e pelo racismo, acabou fazendo Luana desistir do sonho de criança antes dos 20 anos. Seu corpo mudou sem as dietas restritivas que, segundo ela, são comuns no balé. Foram anos até que a bailarina fizesse as pazes com o corpo, num processo que veio junto da identificação de sua negritude.

A pressão para que mulheres ficassem menores data do século 20, indica a professora Esther Rothblum, professora de estudos femininos da Universidade Estadual de San Diego, na Califórnia, e consultora da Associação Nacional para Promover a Aceitação do Corpo Gordo (Nafaa, na sigla em inglês). "Nem sempre os médicos receitaram que o melhor era emagrecer. No começo do século, na verdade, era o contrário", afirma. No Brasil, de fato, até os anos 1950, o corpo gordo era considerado forte e saudável, explica a professora da PUC, Denise Sant'Anna. "Até então ser gordo não era questão de saúde. Mas começaram a surgir estudos divulgados pela mídia em revistas como *O Cruzeiro* e outras, americanas, publicadas aqui", afirma.

A questão das dietas e do foco em emagrecimento tornou-se popular na década seguinte, quando pesquisas que ligavam o corpo gordo a doenças aumentaram. Segundo Esther, o crescimento desse tipo de narrativa veio junto com a maior atuação dos movimentos feministas. "Não é interessante que quando as mulheres começam a se posicionar mais é que começa a existir a pressão para que elas emagreçam e fiquem menores?"

ATIVISMO GORDO

Para todas as mulheres escutadas nesta reportagem, a mudança começou justamente a partir do contato com representações positivas de gordas.

"As pessoas precisam começar a ver a gordofobia como um problema da sociedade e não como algo individual", afirma a professora Esther, da Universidade de San Diego. Ela explica que a resistência começa com a criação de espaços para pessoas gordas falarem de suas experiências e discutirem as representações com relação ao corpo.

Assim, promover a visão de que o corpo gordo é normal e livre tem sido revolucionário para essas pessoas. "Corpo é instrumento, não finalidade. O corpo não é só pele, músculos, volume carnal. O corpo é ele se movendo no espaço, é o que ele fala, o que ele veste, é tudo que ele se torna", diz Denise.

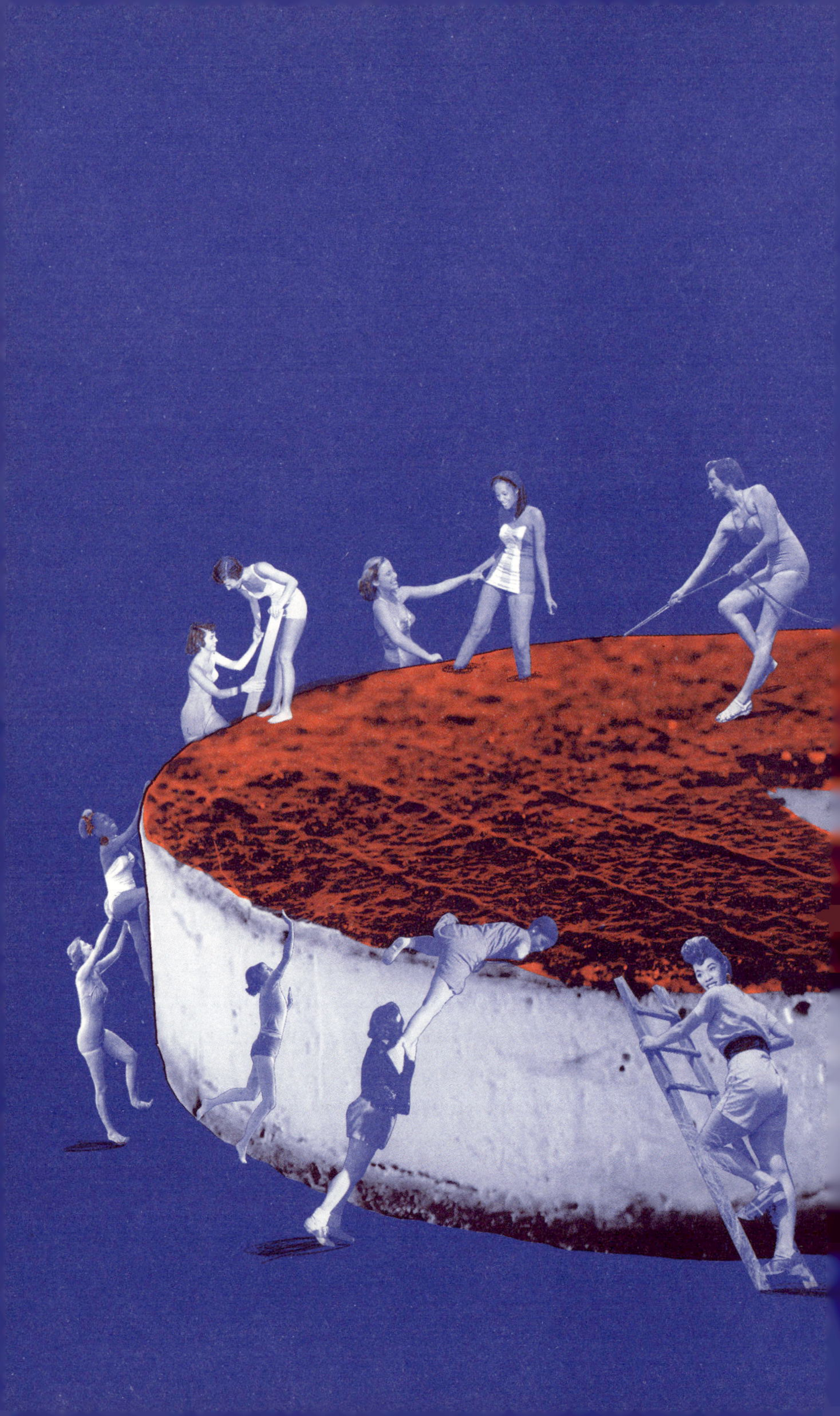

parte IV
POR UMA CULTURA DE EQUIDADE

A REVOLUÇÃO VAI ACONTECER NA PIA

NANA QUEIROZ & HELENA BERTHO

Um dia, ela entrou em colapso. As diárias de 12 horas na empresa pesaram sobre sua alegria até massacrá-la. As tarefas domésticas e o cuidado com a filha aceleraram a respiração e deixaram o coração pesado e a sobrecarga se transformou em um medo de tudo e de nada. Era pânico. Aos 40 anos, a carioca Christiana Drummont se sentia derrotada pela vida e pela depressão. Culpava-se por não ter estudado o bastante, por não ter se preparado para a pressão e as exigências do mercado de trabalho. Culpava-se por não dedicar mais tempo à filha, que demandava atenção nos estudos. Culpava-se por não fazer exercícios e por não estar sempre cheia de desejos sexuais. O ex-marido assistia ela sucumbir sentado na plateia, acreditando que aquele era um espetáculo do qual ele não fazia parte.

"Com essa corrida pela independência da mulher, acabamos trabalhando como eles, mas ganhando menos. As tarefas de casa continuam sendo nossas. A educação do filho é obrigação nossa. A gente que larga trabalho pra ir à reunião da escola, a gente que falta quando ficam doentes", desabafa ela. "A gente vive numa corrida que não cessa. Eu sinto que falta cuidar da minha saúde, cuidar de mim. E, mesmo assim, sinto que deixo a desejar com a minha filha."

Christiana se preocupa com assédio sexual, direitos reprodutivos e igualdade de salários entre homens e mulheres, mas a verdade é que a não divisão das tarefas domésticas é a luta feminina que mais sente na pele, como milhões de outras mulheres ao redor do mundo. Por essa razão, não espanta que a Organização das Nações Unidas (ONU) tenha incluído o assunto entre as nove metas para conquistar a igualdade de gênero quando criou, em setembro de 2015, os Objetivos do Desenvolvimento Sustentável. As metas foram oficializadas em assembleia geral, em Nova York, nos Estados Unidos, e assinadas pelos países membros, incluindo o Brasil.

Pode parecer pequeno discutir quem lava a louça quando há tantas mulheres sendo estupradas e morrendo em decorrência de abortos clandestinos e surras de parceiros, mas a verdade é que o problema atinge as mulheres de maneiras muito mais profundas do que se imagina – e, estudiosos apontam, pode ser a raiz da maioria dos empecilhos para o pleno empoderamento. "A divisão sexual do trabalho é base fundamental das injustiças e desigualdades de gênero das sociedades contemporâneas", opina Flávia Biroli, autora do livro *Feminismo e Política* (Ed. Boitempo). "Quando observamos a subrrepresentação das mulheres na política e em cargos de comando das empresas, vemos que a falta de tempo está logo na raiz. E isso acontece porque elas estão sobrecarregadas pela dupla jornada. Em nosso país, as mulheres gastam o dobro de tempo com tarefas domésticas do que os homens. Quem vai pensar em carreira política depois de um dia de 14, 15 horas?"

A posição de Flávia é compartilhada por diversas especialistas da área, inclusive na ONU, e comprovada por uma série de levantamentos e estudos recentes. A base do argumento é a seguinte: como têm menos tempo livre, as mulheres não conseguem se dedicar a uma participação política mais ativa, têm medo de assumir cargos de liderança que, eventualmente, exigem horas extras, e, com mais frequência, abandonam os trabalhos por não dar conta do excesso de tarefas, tornando-se reféns financeiras de maridos, que podem se tornar abusivos. Ou seja, a verdadeira revolução feminina vai passar pela cama, pelo cinema, pelas empresas e pelo Congresso, mas precisa começar na pia!

QUERO PROVAS!

A ONU faz questão de destacar que nenhum país atingiu, ainda, a equidade de gêneros – e parte disso se deve a quem faz o que dentro de casa após o expediente. "A questão da divisão sexual do trabalho é chave, e sempre foi, para a igualdade de gênero. Todas as relações sociais estão baseadas nas construções dos papéis de gênero em que, historicamente, as mulheres foram vinculadas ao cuidado da família e da casa, enquanto a esfera pública permanecia no domínio masculino", explica Camila Almeida, Analista de Programas ONU Mulheres no Brasil. É por conta disso, defende ela, que mulheres ainda ganham 30% a menos do que os homens em nosso país.

A situação por aqui, aliás, não só anda mal, mas vem piorando. Embora 93% das empresas brasileiras possuam ao menos uma funcionária em cargo de comando, a média da presença delas nos empreendimentos, que já era tímida, caiu. De acordo com o estudo "Women in Business" (Mulheres nos Negócios), da Grant Thornton, o percentual era de 19% em 2016 e 2017, subiu para 29% em 2018, mas foi reduzido para 25% em 2019. É importante analisar esses dados sob a luz de uma outra pesquisa, feita em 2015 nos EUA. Segundo a "Women in The Wokplace" (Mulheres no Local de Trabalho), da consultoria McKinsey, 65% das mulheres com filhos nem sequer desejam ser promovidas a cargos de liderança porque não acham que dariam conta de balancear vida profissional e responsabilidades domésticas. Outros 58% dessas mulheres acha que isso traria estresse demais para suas vidas.

EU NÃO QUERO UM CARGO DE LIDERANÇA PORQUE:

	Mulheres com filhos	**Mulheres sem filhos**
Não acho que darei conta disso e das tarefas de casa	65%	35%
Seria muito estressante	58%	55%
Não me interesso por este tipo de trabalho	38%	46%

FONTE: ESTUDO MULHERES NO AMBIENTE DE TRABALHO. 2015, MCKINSEY

"Para elas, o aceso ao emprego também é dificultado e, entre jovens desempregados, a maioria é de mulheres que, muitas vezes, enfrentaram uma maternidade precoce e tiveram que assumir os cuidados da criança sozinhas. Quando falamos de qualidade de emprego, como contratos estáveis e relações de trabalho saudáveis, vemos que elas também estão em desvantagem", atesta Camila. "Tudo isso aponta pra uma conclusão: não adianta estimular a participação das mulheres no mercado sem trabalhar questões de fundo, como a divisão do trabalho doméstico."

A ideia de que o papel da mãe é mais importante que o paterno só tem reforço científico enquanto dura a gestação e a amamentação – e mesmo durante esse período, o companheiro pode contribuir ajudando ainda mais nas outras tarefas da casa ou da maternidade. Após essa temporada, não existe nenhuma função que ele não possa, ou não deva, cumprir em relação à criança. Pelo contrário, um engajamento paterno maior estreita laços com os filhos, aumenta o suporte emocional da criança e ajuda as mães a desempenharem melhor a função, já que estão menos estressadas. A mentira de que os papéis de gênero têm um fundo biológico, destaca Camila, tem feito muito mal às mulheres – e a maioria das pessoas ainda acredita nela.

Foi o caso do ex-companheiro da diarista mineira Maria da Lapa Lopes Siqueira. Aos 51 anos, ela ainda enfrenta as consequências dessa visão. Grávida, sem formação e abandonada pelo pai da filha aos 18 anos, ela se viu forçada a migrar para São Paulo deixando para trás a menina, aos cuidados da avó. Só assim pode trabalhar horas suficientes, como faxineira, para pagar sozinha o sustento da filha. Mesmo quando se casou novamente e teve outro filho, há cerca de 18 anos, ela não conseguiu se livrar dessa cultura.

Sua rotina é exaustiva: acorda às 4 da manhã, faz um trabalho físico pesado e, ao chegar em casa, à noite, ainda tem que lavar roupa, cozinhar, limpar a casa. Às sextas-feiras, ela busca adiantar um pouco da faxina para poder descansar por algumas horas no final de semana. O atual marido, pedreiro, vive de bicos e não tem renda fixa. Logo, ela não pode assumir menos trabalhos, já que o sustento da casa é garantido por ela. "E as tarefas de casa ele não faz. Ele nem sabe fazer. É muito cansativo. No fim, eu trabalho duas vezes e fico exausta. Tô sonhando com a aposentadoria", revela.

Maria nos lembra de algo importante: é impossível pensar em direitos das mulheres sem considerar fatores como classe social e cor. "Hoje, no Brasil, além de uma hierarquização entre homens e mulheres, com elas abaixo, existe uma verticalização das relações entre mulheres, em que as ricas ou de classe média estão no topo", lembra Flávia. "As carreiras das mulheres de classe média estão ancoradas no trabalho doméstico de mulheres pobres. Com a crise, voltou a crescer o número de domésticas no Brasil. E é bom lembrar: o trabalho doméstico remunerado só existe quando há altos níveis de desigualdade."

É nas classes mais pobres que o problema causa mais sofrimento às mulheres, com algumas delas tendo que abandonar os filhos com os avós para poderem sustentá-los, como Maria. É também entre faxineiras e trabalhadoras braçais que esforços físicos repetitivos, no trabalho e em casa, mais causam doenças precoces.

Mesmo assim, seria errado pensar que as mulheres de classe média também não sofrem com esse problema. "Mesmo pagando babás e faxineiras, são elas que administram a casa, são elas que vão a reuniões da escola e são elas que faltam no trabalho quando os filhos ficam doentes", lembra

Wendy Goldman, historiadora emérita da Carnegie Mellon University, nos EUA. "As mulheres também se preocupam demais com a família e seu bem-estar e carregam isso consigo o tempo todo no trabalho, aumentando problemas emocionais. Os homens desfrutam de todas as alegrias proporcionadas por uma família, mas não têm que trabalhar por ela no mesmo nível."

DEPENDÊNCIA E VIOLÊNCIA

A menina não pegava mamadeira de jeito nenhum. Só queria saber de mamar no peito. A paulista Michelle Santos, 32, e o marido sentaram, conversaram, e ela decidiu largar o trabalho na área de RH de uma empresa para cuidar exclusivamente da família. O marido sempre repetiu que sua função era pagar as contas e que a dela era arrumar a casa.

"Na época, parecia uma decisão correta e importante, mas hoje já não sei se foi a escolha certa", confessa Michelle. "Eu tinha o meu dinheiro, era independente e agora não sou mais. Preciso pedir dinheiro e autorização a ele para fazer qualquer coisa. Ele deve adorar: fico com todas as tarefas e ainda cuido da filha dele. Amo muito minha filha mas, às vezes, fico maluca com tanta coisa", diz.

Depois um ano e meio fora do mercado de trabalho, Michelle tenta, mas não consegue se recolocar. Até chegou a apelar para áreas de atuação fora de sua especialidade, mas não recebeu proposta alguma. "Eu não me arrependo de cuidar da minha filha. Mas, querendo ou não, fico pensando: se ele me ajudasse mais, eu não precisaria ter deixado meu serviço... Por exemplo, eu amo correr. Mas, mesmo pra isso, ele não gosta de ficar com ela pra mim, ele não tem muita paciência. Ele poderia assumir um pouquinho mais, pelo menos", desabafa.

Em situações como essa, muitas mulheres ficam ainda mais vulneráveis à violência doméstica, destaca Flávia. E não estamos apenas falando de mulheres desempregadas. "Por ter que cuidar da vida doméstica, mulheres, em geral, assumem ocupações remuneradas em horários e colocações que as levam a ganhar menos. Com isso, ficam também mais dependentes de seus maridos e de outros homens da família, como pais, tios e irmãos. A vida vai sendo construída em torno da dependência, que define as relações entre as pessoas, até mesmo emocionais", defende ela.

Ou seja: não só a mulher se vê de mãos atadas por não conseguir sustentar a si ou aos filhos sozinha, ela desenvolve uma dependência emocional em que tem uma posição de fragilidade quase infantil em relação ao marido. Assim, pode começar a fazer sentido a absurda ideia de que ele tenha o direito de "punir para ensinar lições". E, se buscam o divórcio para se livrar da violência, ou até mesmo da infelicidade conjugal, as mulheres se veem ainda mais sobrecarregadas com o cuidado dos filhos.

Voltando ao caso de Christiana, do começo deste texto: após se separar do marido, os dois dividiram meio a meio as contas relacionadas à filha, mas ela assumiu integralmente todas as responsabilidades no cuidado da menina. "E ele ainda cobra quando ela tira nota baixa, por exemplo!", conta ela. "Criar um filho não é pegar no final de semana, o dia a dia é pesado, é dar limites e cobrar. O único jeito seria ele me compensar financeiramente, para que eu pudesse trabalhar menos e gastar mais do meu tempo com ela. Mas aí é complicado, porque o homem acha que tá pagando as nossas contas – principalmente conta de ex, né?"

ONDE COMEÇOU ESSA MERDA TODA?

Apesar de muito machista por aí tentar convencer as mulheres de que essa não passa de uma divisão natural do trabalho, inspirada unicamente nas capacidades dos homens e das mulheres, a História prova que nada disso é verdade. Em muitas sociedades ao redor do mundo, mulheres que assumiram atividades fisicamente pesadas na agricultura ou mesmo fazendo tarefas domésticas, como costurar e fiar, tinham seu trabalho altamente valorizado.

Até o século 19, por exemplo, as mulheres do povo indígena Seneca, dos EUA, podiam decidir que guerras os homens lutariam ou não, já que elas controlavam a produção da comida que os alimentaria no campo de batalha. Na América Latina pré-colombiana, mulheres eram comerciantes. Na Nigéria, os Igbo tinham mulheres tão poderosas e com tanto controle sobre os recursos da casa que ficaram historicamente conhecidas como "maridas". Até hoje, em Bali, mulheres e homens dividem proporcionalmente o cuidado das crianças e, na Nova Guiné, homens e mulheres partilham os negócios e são igualmente agressivos.

A ideia de que as tarefas domésticas pertencem apenas às mulheres e que elas têm um valor menor para a sociedade e para quem as realiza é uma exportação do Ocidente para as demais sociedades por meio do colonialismo e do neocolonialismo. As mulheres podem culpar os gregos por isso. Foram eles que dividiram a vida entre polis, a arena pública e valiosa que pertencia aos homens, e oikos, a esfera privada e caseira e que pertencia às mulheres. No livro *No turning back: The history of feminism and the future of women* (Sem volta: história do feminismo e o futuro das mulheres, sem tradução em português), a historiadora Estelle B. Freeman lembra que filósofos como

Aristóteles e Platão trabalharam duro para fincar essa ideia na cabeça das pessoas. "A coragem do homem está em comandar, a da mulher, em obedecer", eternizou Aristóteles no clássico Política.

O ideário grego sobre a divisão do trabalho se espalhou como um vírus poderoso pela Europa e, dali – na época das grandes navegações e depois, durante o neocolonialismo – para o restante do mundo, que teve suas culturas e suas mulheres subjugadas. Até as deusas foram caindo em desprestígio e cedendo à dominação masculina e ao deus patriarcal. A eles, dava-se o mundo para ser conquistado. Às mulheres, restava a invisibilidade do lar.

DOUTRINAÇÃO QUE VEM DA INFÂNCIA

A verdade é que a divisão sexual do trabalho nos parece tão natural, porque somos doutrinadas nela desde muito jovens. Para quem duvida disso, a ONG Plan International realizou um estudo definitivo em 2015: o "Por ser menina no Brasil". Cerca de 1/3 das 1.771 meninas entre 6 e 14 anos entrevistadas, ou 31,7%, avalia que o tempo para brincar é insuficiente. Isso acontece porque cerca de 82% delas têm algum tipo de responsabilidade nas tarefas domésticas. Enquanto 81,4% das meninas arrumam sua própria cama, por exemplo, 76,8% lavam louça e 65,6% limpam a casa, apenas 11,6% dos seus irmãos homens arrumam a própria cama, 12,5% lavam a louça e 11,4% limpam a casa. Elas também assumem mais tarefas de risco para crianças, como cozinhar. Entre as meninas, 41% o fazem; entre os meninos, apenas 11,4%.

"Não há qualquer problema em fazer trabalhos domésticos. Aliás, nós somos a única espécie que precisa de tantos cuidados. O problema é que isso se torne um fardo para as mulheres e meninas", lembra Viviana Santiago, especialista em gênero da Plan International. "Educamos as crianças para naturalizar o trabalho doméstico feminino. As famílias pensam que faz parte do ser mulher lavar, passar, cozinhar e limpar. Isso é muito problemático não só porque diferenciamos meninas e meninos, mas porque hierarquizamos as tarefas que eles executam. Dizemos claramente que a vida delas tem menos importância porque elas estão ali para servir aos meninos. Isso é chave no processo de construção da subjetividade deles também, porque acham que mulheres existem para satisfazê-los."

Entre os danos psicológicos que essa criação pode proporcionar, Viviana destaca o papel do cuidado com irmãos menores. Como entende que sua função é cuidar e não ser cuidada, como seria o natural da infância, as meninas se sentem desprotegidas e essa insegurança se torna estrutural em sua personalidade. "Colocamos na cabeça de nossas meninas que a prioridade da vida delas é o trabalho doméstico, o que as faz desprezar as demais esferas da vida quando crescem e não almejarem realização profissional, política ou financeira", complementa a especialista.

MUNDOS POSSÍVEIS

As paulistanas Bárbara e Nathália Kodato cresceram em um pequeno mundo em que nada disso existia. Na casa delas, mulheres e homens eram iguais e tarefas domésticas eram de todos. A mãe, Elza, uma japonesa arretada, ia muito bem trabalhando fora. Já o pai, Luiz Veloso, gostava de ter uma rotina mais flexível, de trabalho artístico, em casa. Ele levava e buscava as filhas na escola, ia às reuniões, festinhas etc. Também lavava roupa e louça e cozinhava. Elza chegava em casa e, com frequência, encontrava o jantar pronto. Esse foi o esquema dos dois até as filhas crescerem. Luiz só voltou a trabalhar fora há dois anos.

"No começo ele não sabia fazer as coisas, na verdade. Mas foi olhando e aprendeu. Quando não entendia algo, ligava e perguntava. Foi deixando o arroz e o feijão prontos, depois a carne. Hoje ele se vira na cozinha, inventa até pratos diferentes", conta Elza. "Se ele não tivesse assumido essa parte, eu não conseguiria administrar tudo sozinha. E nossas filhas cresceram desse jeito, entendendo que o pai tinha mais disponibilidade que eu, porque eu trabalhava fora."

Aos 61 anos, Luiz tem a oportunidade de ensinar Guilherme, o neto de 8, que fazer tarefas de casa faz dele um homem melhor. "Eu não acho que cuidar da casa seja um demérito, pelo contrário! E não existe essa de coisa de mulher e coisa de homem, a família é de todos, logo, as tarefas são de todos!", opina Luiz. "Para mim, aprender foi algo completamente normal e todos os homens podem fazer o mesmo: qualquer ser humano se adequa a qualquer situação, basta querer."

Bárbara, mãe de Guilherme, acredita que hoje pode quebrar um padrão que, na maioria das famílias, é passado de geração em geração. "Meu pai nos ensinou a cozinhar desde cedo e nos dizia que éramos uma família e precisávamos ajudar uns aos outros. Esse foi um conceito que carregamos com a gente, sabe?", explica ela.

A SOLUÇÃO É BRIGAR COM OS MARIDOS?

Para mudar a situação, devemos sentar e dialogar, como Elza, ou brigar com o marido? A verdade é que não há uma resposta geral para todos. As mulheres da Islândia, por exemplo, optaram pela segunda alternativa e obtiveram sucesso. Em 24 de outubro de 1975, milhares de islandesas foram às ruas para protestar contra o baixo reconhecimento dado ao trabalho feminino e entraram em greve. Como resultado, muitos homens tiveram de levar os filhos pequenos ao trabalho e se virar na cozinha. Assim, elas chamaram atenção para a importância da mulher na sociedade e ganharam poder de barganha para exigir melhoras nas leis trabalhistas e políticas públicas.

Já Flávia acha que a resposta está em uma terceira via. Para ela, nós devemos superar a ideia de que o trabalho doméstico é uma questão privada e transformá-la em um problema social. "Precisamos criar um modelo que não comece e termine na esfera privada. Os países que têm melhores números em equidade são aqueles em que o Estado provê bons serviços públicos de cuidado das crianças, licenças conjugadas e outras soluções que permitem que, com cuidado coletivo, as mulheres não fiquem restritas à esfera doméstica."

A pesquisa da historiadora Wendy leva às mesmas conclusões. Ela se inspira no modelo criado pelos bolcheviques, na antiga União Soviética, e acredita que ele pode ser adaptado à realidade atual do Brasil. "Os bolcheviques transferiam quase todo o trabalho doméstico para fora de casa. Havia empresas de lavagem de roupa, restaurantes públicos a preços acessíveis, creches em período integral – todos com funcionários bem remunerados", explica. "Não acho que homens e mulheres devam passar o dia brigando pela louça, nós temos que aprender a entender que tudo isso faz parte da sociedade como coletivo."

As especialistas concluem, em uníssono, que mudança cultural e trabalho de Estado são necessários e ninguém pode se isentar da tarefa. E, homens, em vez de lavar as mãos, que tal lavar a louça? Porque essa revolução vai começar com esponja e sabão!

DISTRIBUIÇÃO DE TAREFAS ENTRE CRIANÇAS DE 6 A 14 ANOS

	Meninas	Meninos
Arrumar a cama	81,4%	11,6%
Lavar a louça	76,8%	12,5%
Limpar a casa	65,6%	11,4%
Sair para trabalhar	4,3	12,5%

FONTE: PLAN INTERNATIONAL

VIOLÊNCIA DOMÉSTICA: O QUE É E QUAIS SÃO OS TIPOS

LAURA REIF

"Mas o que ela fez para merecer?" "Mas ela provocou." "Mas ele não bateu, só empurrou." Essas são algumas frases bastante comuns quando se fala em casos de violência doméstica contra mulheres. Além de colocarem a culpa na vítima, elas mostram um desconhecimento do que é e de quais são os tipos de violência doméstica, que não se restringe apenas à agressão física.

A violência doméstica é qualquer tipo de abuso que ocorre no ambiente doméstico ou familiar, seja ele físico, psicológico, sexual, moral ou patrimonial. "São inúmeras as formas de violência. Em termos práticos, tudo o que faz a mulher se sentir inferiorizada e insegura", explica a terapeuta de relacionamentos Sabrina Costa.

Em 2018, 1,6 milhão de mulheres foram espancadas ou sofreram tentativa de estrangulamento no Brasil, segundo levantamento do Datafolha e do Fórum Brasileiro de Segurança Pública (FBSP). Entre os casos de violência, 42% ocorreram dentro de casa.

E a violência não se restringe apenas à ação. Quem se omite também pode ser responsabilizado pela Lei Maria da Penha. Ser conivente, fingir que não viu ou se omitir diante de uma agressão também é considerado uma forma de praticar violência.

QUEM É O AGRESSOR

O agressor pode ser qualquer pessoa com quem a mulher tenha uma relação íntima de afeto, prevê a Lei Maria da Penha – que criou mecanismos para combater a violência doméstica e familiar contra as mulheres. Por isso, independe de vínculo de parentesco e inclui marido ou esposa, namorado(a), ex-companheiros(as), pai ou mãe, padrasto ou madrasta, irmã(o), sogro(a), entre outros.

"A casa é a fortaleza do agressor, ali não há testemunhas, não há possibilidade de fuga, não há como esta mulher ser socorrida, ainda mais se pensarmos na perspectiva cultural que reverbera até hoje em nossa sociedade de que ali não nos é permitido intromissão", informa relatório do Fórum Brasileiro de Segurança Pública.

Uma pesquisa do IPEA (Instituto de Pesquisa Econômica Aplicada) de 2014 mostra que a conivência com essa violência é socialmente aceita. Na pesquisa "Tolerância social à violência contra as mulheres", 63% dos entrevistados concordam, de forma parcial ou total, que "casos de violência dentro de casa devem ser discutidos somente entre os membros da família", enquanto 82% consideram que "em briga de marido e mulher não se mete a colher". Já 65% acreditam que "mulher que é agredida e continua com o parceiro gosta de apanhar".

TIPOS DE VIOLÊNCIA DOMÉSTICA

A Lei Maria da Penha descreve os seguintes tipos de violência doméstica:

Violência física Qualquer ato que venha a ferir a integridade corporal da vítima.

Violência psicológica Ações que causem danos psicológicos, como humilhação, chantagem, insulto, isolamento e ridicularização. Além disso, formas de controle sobre o comportamento da mulher, como impedi-la de sair, também se enquadram na definição.

Violência sexual Forçar a mulher a presenciar ou participar de relação sexual não desejada, mediante intimidação de qualquer natureza: ameaça, coação ou uso da força. Também impedir que a mulher faça uso de métodos contraceptivos, forçá-la a se casar, engravidar, abortar ou se prostituir.

Violência patrimonial Quando o agressor destrói bens, documentos pessoais, instrumentos de trabalho e recursos econômicos necessários a mulher.

Violência moral Caluniar, difamar ou cometer injúria contra a vítima.

CICLO DA VIOLÊNCIA

A violência doméstica pode se apresentar de diferentes formas e, no contexto de um relacionamento amoroso, ocorre dentro de um ciclo que é constantemente repetido, segundo a psicóloga norte-americana Lenore Walker. O Instituto Maria da Penha ordenou os três principais estágios do ciclo:

Aumento da tensão O agressor se mostra tenso e irritado por coisas insignificantes e pode ter acessos de raiva. Nesse momento, é comum ele humilhar, fazer ameaças e quebrar objetos da vítima. A mulher tenta acalmar o agressor e evita qualquer conduta que possa "provocá-lo". A mulher normalmente acha que fez algo de errado para justificar o comportamento violento do companheiro. Em geral, a vítima tende a negar e esconde os fatos das demais pessoas. Essa tensão pode durar dias ou anos.

Ato de violência Nessa fase, a falta de controle do agressor chega ao limite e leva ao ato violento. Aqui, toda a tensão acumulada na fase anterior se materializa em violência verbal, física, psicológica, moral ou patrimonial. Mesmo tendo consciência de que o agressor está fora de controle, o sentimento da mulher pode ser de paralisia.

Arrependimento ou lua de mel Após o ato violento, o agressor mostra arrependimento e se torna amável para conseguir a reconciliação. É comum que a mulher se sinta confusa e pressionada a manter o relacionamento, principalmente se o casal tem filhos. Há um período relativamente calmo, em que a mulher se sente feliz por constatar os esforços e as mudanças de atitude do companheiro. Por fim, a tensão volta a se acumular, voltando à primeira fase. "Quando há uma agressão ou caso de abuso psicológico em que a mulher dá o primeiro sinal de se impor, o homem se mostra arrependido e começa a tratá-la de forma diferente e carinhosa. Ela acaba dando mais uma chance, acreditando que ele realmente mudou. Porém, depois de um tempo, tudo volta a se repetir", observa Sabrina.

VIOLÊNCIA DOMÉSTICA CONTRA HOMENS?

Recentemente, cresceu a busca no Google pela frase "violência doméstica contra homens" no contexto de buscas por "violência doméstica". Assim como em qualquer ambiente, homens também podem ser vítimas de agressão em casa.

Mas como a casa historicamente sempre foi o espaço identificado como sendo o da mulher, são elas que sofrem mais com esse tipo de violência. O "Mapa da Violência 2012: Homicídios de Mulheres no Brasil" mostrou isso: duas em cada três pessoas atendidas no SUS (Sistema Único de Saúde) em razão de violência doméstica ou sexual foram mulheres.

COMO SAIR DE UMA SITUAÇÃO DE ASSÉDIO NO TRABALHO

LUCIANA VELOSO

Desde que iniciei minha luta contra o assédio sexual e moral nos ambientes de trabalho conheci muitas pessoas inspiradoras que viveram situações de assédio e, a partir de então, passaram a combatê-lo. Uma delas foi Regina Célia Leal, que militava arduamente contra o assédio moral. Regina trabalhava como técnica de laboratório da Faculdade de Medicina da USP, onde foi vítima de assédio moral por duas décadas. Após 11 anos de luta judicial, em 2011, a USP foi condenada a pagar uma indenização por danos morais à Regina, mas os prejuízos psicológicos causados por aquela situação de abuso já tinham se instalado com força demais em sua psique. No dia 15 de outubro de 2014, após uma série de afastamentos por depressão, Regina ingeriu uma substância química em seu local de trabalho e tirou a própria vida.

Hoje ela se tornou símbolo dessa luta. O caso de Regina, contudo, não é um caso isolado, infelizmente. Não raras vezes o assédio moral leva ao suicídio e isso não necessariamente acontece durante ou logo após o término da situação de assédio, embora possa acontecer nesse período também.

Temos que entender que o assédio moral e o assédio sexual são violências. Ou seja, eles têm as mesmas consequências que outros tipos de violência podem ter. A tortura ou violência psicológica está frequentemente associada ao chamado Transtorno de Adaptação e, dependendo das situações vivenciadas no ambiente de trabalho, também pode ser causa de reações mais agudas como estresse pós-traumático, que é um transtorno que se caracteriza pela lembrança de forma rotineira das situações traumáticas com toda a carga negativa original. São os chamados *flashbacks*, que impedem que a pessoa leve uma vida normal, além de se apresentarem, por vezes, juntamente com outros problemas mentais como a depressão ou ansiedade patológica.

É ASSÉDIO (SEXUAL OU MORAL) SE O SEU SUPERIOR:

- ELOGIA VOCÊ POR RAZÕES NÃO ASSOCIADAS AO TRABALHO DE MANEIRAS QUE A INCOMODEM
- FAZ PIADAS MACHISTAS
- DIMINUI VOCÊ COMO PROFISSIONAL POR SER MULHER
- COLOCA A MÃO NO SEU CORPO SEM QUE VOCÊ DÊ LIBERDADE
- FAZ PROPOSTAS SEXUAIS NÃO SOLICITADAS
- GRITA COM VOCÊ
- HUMILHA VOCÊ DIANTE DE OUTROS FUNCIONÁRIOS
- TRATA VOCÊ COM CONDESCENDÊNCIA SUPONDO FRAGILIDADE OU INTELIGÊNCIA MENOR QUE A DOS HOMENS

UM POUCO DE HISTÓRIA

Nas últimas décadas houve uma série de mudanças no ambiente de trabalho que aumentaram os riscos de os funcionários e funcionárias desenvolverem doenças psicológicas. Um exemplo dessas mudanças é a instalação da cultura do "cada um por si", que estimula uma competição selvagem, ou de alguns modelos importados do Japão, que exigem dos trabalhadores uma eficiência similar à da máquina. São o que eu chamo de riscos psicossociais.

Esses riscos podem ser caracterizados por fatores como baixa qualidade da liderança, tarefas repetitivas, falta de controle sobre o trabalho, falta de perspectivas ou estagnação na carreira, dupla ou tripla jornada de trabalho, falta de suporte social com filhos e idosos (o que atinge em cheio as mulheres por serem sobrecarregadas com o cuidado), ciclos curtos de trabalho, falta de clareza de objetivos, conflito de papéis e funções, carga qualitativa insuficiente, pouca carga de trabalho ou sobrecarga quantitativa, pouca participação em processos decisórios, competição extrema, assédio organizacional, isolamento físico e social, comunicação insuficiente/ineficiente, apenas para citar alguns riscos dentre tantos outros.

Entre todos esses riscos se destacam os casos de assédio. É importante ter em mente que todos os tipos de assédio (moral, sexual e organizacional – sendo este último caracterizado pela cobrança abusiva de metas que muitas vezes são inatingíveis, de forma institucionalizada) representam riscos psicossociais que podem estar presentes no ambiente de trabalho. E minha prática profissional no atendimento de denúncias de assédio moral me mostrou que as organizações em que existem mais daqueles primeiros riscos que citei, as situações de assédio também são mais comuns. Por exemplo, a baixa qualidade da liderança e a comunicação insuficiente geram um terreno fértil para que comecem a acontecer situações de assédio moral.

Uma série de doenças mentais pode surgir em decorrência disso. Nos estudos que fiz para meu livro *Riscos psicossociais e saúde mental do trabalhador*, identifiquei as mais comuns entre elas: depressão, transtornos de ansiedade, transtornos de adaptação, estresse pós-traumático, suicídios e tentativas de suicídios.

O RECORTE DE GÊNERO

Muitas leis nacionais e internacionais já reconheceram que esse tipo de assédio afeta as mulheres de forma particular. A Convenção de Belém do Pará, por exemplo, tipifica como uma das formas de violência contra a mulher a violência física, sexual e psicológica ocorrida no local de trabalho.

Naturalmente as mulheres não são as únicas vítimas, mas em termos proporcionais podemos dizer que representam a maioria das vítimas de todos os tipos de assédio. A ocupação do espaço público pelas mulheres tem sido historicamente marcada por muita violência. É preciso ter em mente que o meio ambiente de trabalho é, por excelência, uma extensão do espaço público. Há muita reação – às vezes sutil, às vezes aberta – contra a entrada das mulheres no mercado de trabalho.

Veja alguns exemplos. No Núcleo de Combate ao Assédio Moral do Ministério do Trabalho em São Paulo, a quantidade de denúncias que chega de mulheres que passaram a sofrer assédio após engravidarem (durante ou após o nascimento de seus filhos) é enorme. Salta aos olhos como o fato de engravidar aumenta consideravelmente as chances de que uma mulher venha a ser vítima de assédio moral em seu ambiente de trabalho.

No que diz respeito ao assédio sexual, a esmagadora maioria de vítimas são as mulheres. Segundo a Força Sindical, o assédio sexual é o segundo maior problema enfrentado pelas mulheres no ambiente de trabalho, ficando atrás somente dos baixos salários. O Sindicato das Secretárias do Estado de São Paulo (Sinesp) realizou pesquisa com suas filiadas e, destas, 25% disseram ter sido assediadas sexualmente pelos chefes. Uma situação bastante frequente é aquela em que a mulher, após ser vítima de assédio sexual, por não ceder às investidas passa a ser hostilizada se tornando vítima de assédio moral. Isso ocorre não apenas no setor privado, mas em órgãos públicos e corporações, como por exemplo nas Forças Armadas ou mesmo na Polícia Militar.

A mulher que se encontra exercendo atividades em setores considerados como masculinos também tem maiores chances de sofrer assédio. Isso porque ela é vista como supostamente "roubando o lugar de um homem" e exercendo uma atividade para a qual "não teria talento natural" simplesmente pelo fato de ser mulher (exemplos: metalurgia, mercado financeiro, construção civil).

Vale mencionar ainda as mulheres trans, as mulheres negras, as mulheres lésbicas e as mulheres em posição de liderança que também se encontram em situação particular de risco. Estas últimas são vítimas do machismo de seus pares que podem ter dificuldades de serem chefiados e liderados por uma mulher. Portanto, o simples fato de ser mulher aumenta significativamente a chance de sofrer assédio de qualquer natureza no ambiente de trabalho. Se a mulher ainda está em situações que se associam com maior frequência a assédio como a de uma gravidez ou o fato de estar em posição de destaque na empresa, a chance de que isso venha de fato a acontecer é realmente muito alta.

COMO SE DESLIGAR DE UMA SITUAÇÃO DESSE TIPO

Desligar-se de uma situação de assédio pode ser, em princípio, muito difícil para a mulher. O conselho que eu sempre dou em palestras é que a vítima de assédio procure uma válvula de escape. Em outras palavras: é necessário buscar ajuda de um terapeuta ou de alguma pessoa com quem se possa desabafar e explicar o que está acontecendo. A razão para proceder inicialmente dessa forma é simples: o assédio de qualquer natureza muitas vezes desestrutura psicologicamente a vítima. Desta forma, ela pode adoecer rapidamente (se já não estiver doente) ou simplesmente buscar tomar medidas que visem a solucionar a questão de forma mais radical como, por exemplo, através de um pedido de demissão – o que muitas vezes pode trazer ainda mais problemas para a pessoa que já está abalada.

Tendo o apoio de um terapeuta, por exemplo, a vítima pode começar a raciocinar com mais clareza para então fazer o que considero um segundo passo para enfrentar esse tipo de situação: a elaboração de um dossiê. Em uma pasta, a pessoa deve juntar relatos de todas as situações de constrangimentos e humilhações sofridas, se havia alguma testemunha, a data e o local dos fatos. Essas evidências podem incluir e-mails, ligações telefônicas ou mesmo conversas (pode ser necessário usar um gravador ou um celular que possa fazer as vezes de um). Essa coleção de provas passa então a constituir um trunfo.

É aí que entra o terceiro passo: procurar um advogado para aconselhamento jurídico a respeito das formas de agir (uma das possibilidades seria, por exemplo, abrir uma ação judicial com pedido de indenização por danos morais, além da chamada rescisão indireta do contrato de trabalho, também popularmente conhecida como a justa causa no empregador); outra possibilidade seria a denúncia formal perante órgãos próprios da empresa (ouvidoria, auditoria interna, corregedoria, recursos humanos) ou um órgão público. Optar por esse caminho depende muito da instituição na qual a vítima trabalha e o quanto essa instituição leva adiante a apuração de denúncias e a punição dos acusados de práticas de assédio. Existem muitas instituições que "abafam" o caso e não fazem absolutamente nada em relação à situação. Mas também existem instituições que são seríssimas a esse respeito e têm por hábito apurar os fatos e punir de forma séria os envolvidos, inclusive com demissão.

Não há uma fórmula mágica. Se a situação tiver uma magnitude coletiva, isto é, se atingir uma quantidade maior de vítimas, pode ser interessante denunciar ao Ministério Público do Trabalho. Por fim, qualquer situação de assédio pode ser denunciada no Sindicato da Categoria ou na Superintendência (dependendo da cidade, será na Gerência) Regional do Trabalho. O atendimento da denúncia não é garantido em virtude do quadro exíguo de Auditores-Fiscais do Trabalho (AFTs) bem como da falta de conhecimento e intimidade com o tema por parte da grande maioria – questões como trabalho infantil, trabalho escravo, terceirização irregular e fraudes contratuais fazem parte da rotina e do dia a dia desses profissionais há mais tempo, sendo o assédio moral um tema ainda novo para esta categoria de servidores na qual eu me incluo como uma exceção.

O VERDADEIRO CUSTO DA MODA

Carolina Oms, Lúcia Ellen Almeida & Nana Queiroz

Na região do mercado de tecidos, na província de Guangzhou, na China, brincadeira de criança é virar vestido do avesso para ficar mais fácil de pregar as alças. Enquanto as mães trabalham na costura e os pais carregam caixas, as crianças parecem até se divertir apostando entre elas quem vira a maior quantidade de peças.

Família, infância e trabalho se misturam para produzir rápido e barato as roupas que abastecem prateleiras no Brasil e no mundo. Às onze da noite, o trabalho e o calor seguem sem sinais de alívio. O termômetro costuma oscilar em torno dos 30 graus e a umidade e o abafamento dentro das oficinas, além da ausência de equipamentos próprios, levam os chineses a trabalhar sem camisa, de chinelos ou descalços. O jantar é servido ao lado da máquina de costura. Assim é mais rápido.

Agindo como um possível comprador, a reportagem da Revista AzMina visitou bairros, confecções e intermediários da indústria da moda na China. Encontrou pessoas morando no local de trabalho e banheiros fétidos com um balde no lugar da torneira. As visitas foram autorizadas e as condições deixaram no ar a pergunta: "Se este é o lugar que eles escolheram mostrar, o que pensar das confecções que escondem?"

O cenário em nada lembra a riqueza ostentada nos prédios das empresas que fazem a intermediação entre os produtores chineses e os compradores estrangeiros, as chamadas traders. Em uma delas, duas enormes portas guardam o acesso da recepção. Caminhando pelo piso espelhado, os compradores encontram o melhor da China capitalista. Mesas de mármore, sofás de couro, valiosos vasos chineses. Tudo em proporções monumentais.

Os valores transacionados nesses prédios são igualmente impressionantes. Em um ano, a indústria da moda movimenta US$ 3 trilhões no mundo. Enquanto a maior parte dos lucros está nas mãos dos acionistas das grandes cadeias de moda nos Estados Unidos e na Europa, o trabalho e o custo ambiental foram terceirizados para a Ásia, que é responsável por 70% da produção mundial de fios, tecidos e confecções. China e Hong Kong se destacam gerando cerca de 30% da produção mundial de têxteis e vestuário.

Mesmo no Brasil, que conta com uma vasta cadeia produtiva, com 33 mil empresas e 1,6 milhão de empregados, a importação cresceu 100% em três anos, atingindo US$ 5 bilhões em 2017, segundo dados reunidos pela Associação Brasileira da Indústria Têxtil e de Confecção (Abit). Os casos de trabalhadores resgatados de condições análogas à escravidão mostram que a cadeia nacional está longe da unanimidade no respeito aos direitos humanos. Mas mesmo uma breve pesquisa sobre as condições nos principais países produtores da Ásia mostra quão avançada é a nossa legislação e o quanto nós não sabe-

O VERDADEIRO VALOR DE UMA CAMISETA DE MARCA GLOBAL

Se você compra uma camiseta na loja de *fast fashion* por R$ 100, veja quanto fica no bolso dos responsáveis por cada parte do processo

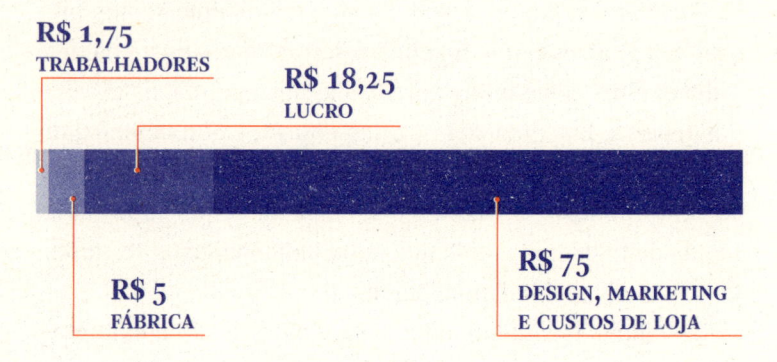

R$ 1,75
TRABALHADORES

R$ 18,25
LUCRO

R$ 5
FÁBRICA

R$ 75
DESIGN, MARKETING E CUSTOS DE LOJA

FONTE: HONG KONG OXFAM

mos como são feitas aquelas roupas que compramos porque "o preço estava ótimo".

"Na China, a lei é a mínima proteção possível para um trabalhador, já que as fábricas frequentemente a violam enquanto buscam agradar às marcas internacionais de fast fashion", conta PinYu Chen, diretora de projetos da Sacom, ONG de Hong Kong que fiscaliza como grandes corporações tratam os trabalhadores no país. Fast fashion (ou "moda rápida") é o nome dado aos grandes varejistas de roupas, como Zara, H&M, Renner e C&A, que procuram produzir rápida e continuamente moda a preço mais acessível. O problema é que, na maioria das vezes, o ônus de um preço menor e uma produção maior recai sobre o trabalhador e o meio ambiente. O custo não desaparece, só se transforma em custo social e ambiental.

Depois de pressionadas por seus consumidores, muitas marcas passaram a fazer auditorias para fiscalizar as condições de trabalho de seus fornecedores. Mas especialistas e organizações afirmam que, como avisam as empresas sobre as vistorias com antecedência, os inspetores dão tempo para que os gerentes das fábricas empurrem a sujeira para debaixo do tapete antes que cheguem. Uma investigação independente da Sacom descobriu que os fornecedores da Uniqlo (marca japonesa global de roupas de inverno) chegavam a trabalhar 308 horas por mês – quase 19 horas por dia, sem finais de semana. "O pagamento por peça é normalmente tão baixo que os funcionários não têm outra alternativa senão aceitar trabalhar muitas horas para ganhar o mínimo suficiente para viver com dignidade", conta Chen.

PROBLEMA GLOBAL, SOLUÇÃO GLOBAL

A mera existência das auditorias, no entanto, já torna a China um lugar melhor para se trabalhar se comparada a países ainda mais pobres, com legislações trabalhistas insignificantes e constante desrespeito aos direitos humanos. Em 2013, donos de confecções em Bangladesh ignoraram a ordem de evacuação de um prédio com profundas rachaduras nas paredes. No dia seguinte, 1.127 pessoas morreram enquanto costuravam roupas para marcas como H&M e Benetton.

O caso inspirou o documentarista Andrew Morgan a viajar pela China, Camboja, Bangladesh e Índia para descobrir o "verdadeiro custo" das roupas que usamos, uma tradução livre do nome do seu documentário True Cost (disponível no Netflix). Em cada país, o desrespeito aos direitos humanos e ao meio ambiente se repetia. "A indústria da moda terceiriza sua produção e a única coisa que importa é o lucro. Se um país passa a ter uma legislação trabalhista um pouco mais rígida ou salários maiores, a produção é transferida para outro lugar", contou ele em entrevista para AzMina.

Para romper com esse sistema que ele chama de "pesadelo perfeitamente elaborado para os trabalhadores", o cineasta defende leis mais rígidas de importação nos Estados Unidos e na Europa, principais destinos das roupas. "É possível atuar por meio de acordos comerciais internacionais e de leis de importação mais rígidas. Nas economias desenvolvidas, podemos ter muito mais proteção ambiental e trabalhista, mas nós permitimos que o sistema fosse levado somente pela busca do lucro."

Leonardo Sakamoto, jornalista e conselheiro do Fundo das Nações Unidas para Formas Contemporâneas de Escravidão e fundador da ONG Repórter Brasil, que fiscaliza uso de trabalho escravo no Brasil, também acredita que o problema exige soluções que ultrapassem as fronteiras dos países. "Se a exploração é global, o combate também deve ser." Ele defende acordos internacionais que exijam auditorias nas condições de trabalho e ambientais e a criação de mecanismos destinados a punir empresas que superexploram trabalho, como bloquear as importações das que não fiscalizam seus fornecedores ou que foram flagradas com trabalhadores em condições degradantes.

Do outro lado há uma pessoa

Quase 25 milhões de pessoas são vítimas de trabalhos forçados no mundo, de acordo com a Organização Internacional do Trabalho (OIT). Estima-se que esses trabalhadores gerem US$ 150 bilhões em lucros. A OIT e o Brasil, no entanto, possuem entendimentos e termos diferentes para se referirem à questão. A OIT chama de "trabalho forçado" situações em que existe violência ou intimidação contra o trabalhador, servidão por dívidas, retenção de documentos e ameaças de denúncia às autoridades de imigração.

Um dos últimos países a abolir a escravidão legalizada, o Brasil escolheu relembrar seus horrores ao chamar de "Lista suja do Trabalho Escravo" um cadastro com as empresas flagradas. O mecanismo foi criado em 2003 e é referência no mundo todo.

Além disso, o Brasil vai além das definições da OIT e do resto do mundo e afirma que não é somente a ausência de liberdade que faz um trabalho escravo, e sim de dignidade. O código penal brasileiro considera que as seguintes condições, encontradas juntas ou isoladamente em um local de trabalho, configuram trabalho análogo à escravidão: condições degradantes de trabalho que coloquem em risco a saúde e a vida do trabalhador; jornada exaustiva a ponto de causar danos à sua saúde ou risco de vida; trabalho forçado e servidão por dívida.

Recém-chegadas, as bolivianas Malena e Maria (nomes fictícios) sofreram quase todas essas situações em uma oficina de costura em São Paulo. Atraídas por um falso salário de R$ 1,5 mil, mãe e filha ficaram trancadas por um mês em uma casa suja onde trabalhavam por 15 horas ao dia nas máquinas de costura, eram acordadas aos gritos e não recebiam nem mesmo água potável ou papel higiênico em quantidade suficiente.

A cada semana, o patrão prometia um valor ainda menor por peça costurada e, depois de um mês, o pagamento não chegou. Após uma intensa discussão, o empregador as deixou ir embora.

Quando elas retornaram com a polícia, no entanto, ele havia levado os outros funcionários a uma churrascaria e prometido melhores condições. Todos negaram as irregularidades, deixando-as sem pagamento ou direito ao seguro desemprego concedido a trabalhadores resgatados – inclusive aos estrangeiros. Desde julho de 2015, quando as entrevistamos, elas procuravam emprego enquanto aguardavam os resultados de uma ação judicial contra o antigo patrão. "Se não acontecer nada até novembro, eu volto. Meu marido está lá trabalhando, cozinhando, e eu aqui não consigo nada", disse Maria, com os olhos marejados.

Histórias como a de Malena e Maria não são raras na indústria da moda. "Quando revelamos que a maioria dos trabalhadores dessas fábricas são mulheres, conquistamos mais simpatia dos consumidores. Mas não queremos simpatia, queremos poder!", diz Sochua Mu, ativista de direitos humanos. Sochua atuava no Camboja, mas hoje está exilada nos EUA depois de ter sua prisão decretada por "insurgência" de trabalhadoras do mercado da moda. "Temos que convencer as trabalhadoras a liderarem as conversas nos sindicatos e criar uma rede de ação global de mulheres contra a escravidão moderna, fazendo pressão para que as grandes marcas subcontratem apenas bons fornecedores", defende.

SEJA A MUDANÇA

Consumidores podem fazer parte da mudança repensando alguns hábitos na hora de comprar. O primeiro passo é se informar. Um aplicativo da Repórter Brasil chamado Moda Livre, acessível no celular ou no computador, pode atualizar você sobre o assunto em pouco cliques. A partir daí, você pode se recusar a comprar, difundir a informação e questionar sua marca favorita sobre o assunto. Depois de filmar True Cost, Morgan passou a comprar menos e de maneira mais consciente. "Toda vez que compramos algo, mandamos uma mensagem. Se deixamos de comprar, se reclamarmos, pressionamos as marcas a agir diferente", diz ele.

A C&A, por exemplo, tem "sinal verde" no aplicativo Moda Livre porque fiscaliza de maneira constante e sem aviso prévio as suas fornecedoras para garantir que elas cumpram a legislação ambiental e trabalhista do país onde estão instaladas. Mas Marina Colerato, fundadora do site de consumo consciente Mode.fica, avalia que nenhuma empresa de fast fashion possui uma cadeia de fornecedores à prova de críticas. "O fast fashion em si não é sustentável. A C&A, por exemplo, tem fornecedores em países asiáticos onde as leis são muito mais falhas que no Brasil."

Em nota, a C&A disse que as auditorias verificam uma lista com mais de 110 itens relativos à saúde e à segurança dos trabalhadores, pagamento de salários e jornada de trabalho de acordo com a legislação trabalhista ou convenção coletiva. As auditorias também comprovam, garante a empresa, a ausência de trabalho infantil ou análogo ao escravo, liberdade de associação, não discriminação e não existência de situações de abuso ou assédio no local de trabalho.

Pequenas ações de muitos consumidores, acredita Sochua, podem fazer toda a diferença. Basta entender que não se trata apenas de comprar uma peça de vestuário, mas de mudar infâncias, vidas, dignidade e liberdade de pessoas como ela.

SETE PASSOS PARA FAZER SEU POUQUINHO:

1) Tenha no celular o aplicativo Moda Livre, da Repórter Brasil, e consulte se a marca que você vai comprar tem sinal verde, vermelho ou amarelo para o trabalho análogo à escravidão. Prefira sempre o verde, claro;

2) Prefira comprar de pequenos produtores que você sabe que respeitam o direito dos trabalhadores, o meio ambiente e os animais sempre que possível;

3) Tenha o hábito de comprar em brechós – há peças usadas lindas e a prática ainda ajuda o meio ambiente;

4) Sempre que souber que uma marca que você usa foi flagrada usando trabalho análogo à escravidão, escreva para o SAC da empresa expressando sua preocupação. Isso ajuda a fazer pressão para que as marcas aumentem a fiscalização sobre seus fornecedores;

5) Leia muito sobre o tema e mantenha o radar atento para marcas que foram denunciadas;

6) Reaproveite itens que você já tem no armário. Uma visita à costureira pode ajudar você com isso;

7) Organize feiras de trocas de itens que você não usa mais com suas amigas e vizinhas.

OS BRINQUEDOS E OS ESTEREÓTIPOS QUE ENSINAMOS A NOSSOS FILHOS E A NOSSAS FILHAS

Carolina Vicentin

Dois mil e quinze foi o ano em que começou a primavera feminista no Brasil. Enfrentando um dos parlamentos mais conservadores da história (mal sabiam elas o que estava por vir), mais e mais mulheres passaram a questionar imposições sociais e a reivindicar seus direitos. O grito de guerra "não passarão!" tomou conta das redes sociais e das ruas das principais cidades do país. Apesar desse esforço, o machismo e o sexismo seguem fortes onde não deveriam aparecer: nas brincadeiras de criança. É quando analisamos os estereótipos de gênero construídos na primeira infância que percebemos a gravidade do problema.

Tudo começa antes mesmo de a criança vir ao mundo. Há uma pressão social enorme para que se revele o sexo do bebê – quem decide deixar a descoberta para a hora do nascimento é taxado, no mínimo, de "diferentão". Como principal justificativa para a pressa em saber se virá um menino ou uma menina, está a composição do enxoval. Eu mesma, grávida do meu primeiro filho, quis logo saber o que viria, para comprar roupas mais "adequadas". Levei um puxão de orelha do meu companheiro e fiquei envergonhada por perceber como pensamentos machistas – até os mais "inofensivos" – estão fortemente enraizados em nossas mentes.

Mas mesmo que você não ligue a mínima para as cores do enxoval, quebrar a lógica sexista que rege a sociedade e, em especial, o mercado de consumo, é uma tarefa difícil. As lojas de roupas e artigos para bebês dividem seus produtos em "para meninos" e "para meninas". Quando você não sabe o sexo da criança, os atendentes prontamente indicam uma sessão minúscula de "cores neutras": amarelo, verde e branco servem para os dois, ninguém vai ficar chateado, garantem. E não são apenas as cores que têm gênero. Objetos que estampam as roupinhas também. Bolas, carrinhos e navios são coisas de menino. Bonecas, flores e casinhas, exclusivas de meninas.

Essa divisão segue forte nas lojas de brinquedos, principalmente nas das grandes marcas varejistas. De um lado, um mundo cor-de-rosa repleto de bonecas, ursinhos e panelinhas e, de outro, super-heróis, monstros e dinossauros. Para elas, atividades que simulam a vida de uma dona de casa; para eles, jogos com o desafio de ser cientista ou astronauta.

Embora existam iniciativas bacanas que buscam reverter essa lógica – como a da linha GoldieBlox, criada por uma norte-americana para meninas que querem brincar de engenheiras –, ainda há muito o que fazer. Recentemente, estive em uma loja procurando uma pia de plástico para meu filho mais velho. Ele havia brincado com uma na casa de uma amiguinha e ficou absolutamente encantado. Quando perguntei à vendedora sobre o produto, ela fez questão de repetir a pergunta: "mas é para menino mesmo?".

A antropóloga Michele Escoura, autora do livro *Diferentes, não desiguais – a questão de gênero na escola* (Companhia das Letras), afirma que os estereótipos ficaram ainda mais marcados nos últimos anos devido à popularização dos personagens infantis. "Quando eu era criança, ia para a escola com uma lancheira vermelha, que poderia muito bem ser usada por um menino. Hoje, as meninas usam lancheiras da Cinderela, exclusivas para o público feminino", compara. "A mídia (filmes, desenhos animados) faz uma divisão muito clara entre o que é para meninos e para meninas, e outros mercados acabam criando nichos de consumo para as crianças baseados nessa lógica", explica.

MOLDANDO COMPORTAMENTOS

Nas andanças por lojas infantis, também é possível perceber algo assustador: há muito mais opções para meninas do que para meninos. Na primeira vez em fui comprar uma sandália para um de meus filhos, tive que fazer uma escolha simples. Ou levava a azul marinho ou a marrom. Quando olhei para a prateleira de calçados femininos, quase caí para trás. Havia ao menos 10 modelos de sandálias, vermelhas, amarelas, douradas e prateadas, com estampa de bolinhas e de oncinha. Brinquei com a vendedora que seria difícil optar por uma delas e depois fiquei pensando o quanto isso acaba por forçar as meninas, desde cedo, a uma cultura do consumo desenfreado. Como consequência, elas crescem achando que precisam estar sempre enfeitadas, com acesso a muitos (e diferentes) itens no guarda-roupa.

As imposições sexistas do mercado de consumo nos atingem ainda bebês. A grande maioria das garotas que conheço teve sua orelha furada nos primeiros dias de vida. Eu mesma passei pelo procedimento ainda no hospital, em uma época em que pouco se pensava sobre o que isso realmente significava. Por que nós, mulheres, temos que sofrer para ficarmos bonitas para os outros? Por que fazemos isso com as nossas filhas? Não tenho filha, mas, se tivesse, não gostaria de impor a uma bebê frágil – que vai sofrer com cólicas e outras coisas de recém-nascido – uma cicatrização na orelhinha. Parece exagero, mas não é. Furar o corpo de alguém que não pode se defender por capricho estético é uma prática que precisa ser questionada.

Outro "fardo" carregado pelas bebês meninas são os adereços. Pulseiras, anéis, faixas, presilhas, laços e tiaras emolduram seus corpinhos já nos primeiros dias. Muitas vezes, os acessórios são inofensivos, mas, em outras, claramente desconfortáveis – e, em casos extremos, perigosos. Em 2014, uma menina de nove meses morreu após engolir uma presilha de cabelo. O objeto, retirado do esôfago da criança, afetou o funcionamento de outros órgãos.

O "SER PRINCESA"

Em uma manhã de abril de 2016, Luiza (nome fictício) corre para entregar aos amiguinhos da vizinhança o convite de sua festa de aniversário. No papel, cuidadosamente dobrado, estão os rostos de três princesas da Disney. Eu, que tenho 10 vezes a idade de Luiza, reconheço todas elas. Branca de Neve, Cinderela e Rapunzel são personagens que fizeram parte da minha infância, assim como fazem da de Luiza, embora tenham sido criadas há, pelo menos, 50 anos.

Foi ao observar a atemporalidade das princesas que Michele Escoura definiu sua pesquisa de mestrado, realizada pela Universidade de São Paulo (USP). Ela, que inicialmente queria analisar o impacto do consumo de produtos na formação de referenciais de gênero, acabou descobrindo algo ainda mais impressionante: como meninas e meninos na faixa dos 5 anos estabelecem o que é "ser princesa". Depois de acompanhar 200 crianças de escolas públicas e privadas, Michele encontrou três critérios: o estético, o de consumo e o da realização do amor romântico.

"Todos os argumentos estão muito relacionados entre si", explica. "Para as crianças, ter coisas – como uma coroa ou um vestido bonito – transforma a mulher em uma princesa. A princesa, por sua vez, é jovem e loira e isso colabora para que ela consiga ter um príncipe e se casar com ele." Durante o estudo, as crianças assistiram e desenharam cenas dos filmes Cinderela e Mulan, ambos da Disney. Mulan, classificada pela própria companhia como uma "princesa rebelde", não era uma princesa de verdade na visão dos pequenos.

"Ser princesa é algo muito valorizado pelas crianças, tanto pelas meninas quanto pelos meninos", afirma a antropóloga. O maior problema, na avaliação de Michele, é o caráter limitador disso, o fato de que muitas garotas crescem achando que essa é a única forma de ser feliz. "Recebo muitos e-mails de pais me perguntando o que fazer. Penso que devemos apresentar outros modelos de felicidade para as crianças, não deixar que grandes corporações pautem o consumo e digam para nossos filhos o que é certo", sugere.

EXEMPLO SUECO

Fora da esfera familiar, também há uma série de medidas que podem quebrar os estigmas machistas e sexistas da sociedade. Um bom exemplo vem da Suécia, país que ocupa o 4º lugar (entre 145 nações avaliadas) no ranking do Fórum Econômico Mundial, que mede a igualdade de gênero – o Brasil está na 85ª posição.

Por lá, há um estímulo das instituições de ensino para que as crianças não sejam educadas dentro de uma lógica sexista. Uma matéria veiculada pelo jornal português Público traz a descrição das atividades em Täppan, um jardim de infância da capital Estocolmo reconhecido por sua atuação em prol da igualdade de gênero. Uma das principais mudanças foi a eliminação de brinquedos tradicionalmente tidos como de meninas ou de meninos. No lugar deles, materiais como panos, papéis, madeiras e fantasias.

"Encorajamos as crianças a ter tolerância e respeito umas pelas outras. Não construímos espaços para meninos ou meninas. Utilizamos diferentes tipos de materiais e tentamos fazer com que as crianças os explorem. Se um menino veste um vestido, a menina não diz: 'Ah, você não pode usar isso porque é menino'. Aqui eles não têm essa atitude, são crianças muito pequenas, não trazem isso com elas, e nós não alimentamos estereótipos", explicou a coordenadora da instituição, Yvonne Häll, ao periódico português.

Enquanto isso não ocorre nas escolas brasileiras – e se também não é possível fugir completamente das princesas e dos carrinhos –, vale fazer um esforço para não reproduzir os machismos do cotidiano. Chamar os meninos pequenos para cozinhar e ajudar a arrumar a mesa, elogiar uma menina por suas respostas, e não apenas por sua roupa bonita, são pequenas coisas, mas que já fazem uma grande diferença. Façamos nossa parte para que as crianças cresçam em um mundo mais igual.

QUAL O LUGAR DAS MULHERES NA DEMOCRACIA BRASILEIRA?

CAROLINA VICENTIN

Há cerca de 2,5 mil anos, em Atenas, parte da população começou a experimentar um novo tipo de governo: a democracia, que dava aos cidadãos o poder de decidir sobre leis e políticas públicas locais. Parecia ótimo, não fosse o conceito tão restrito de cidadão: o exercício democrático cabia apenas a algumas pessoas, deixava de fora a maioria da população, incluindo as mulheres, vistas como seres "naturalmente inferiores".

De lá para cá, muita coisa mudou, mas a baixa representatividade feminina na política ainda é alarmante. Embora o Brasil tenha, desde 2009, uma lei que obriga os partidos a preencherem 30% de suas candidaturas por mulheres, a presença delas no Congresso é pífia. Na Câmara, 15% dos assentos são ocupados por elas; no Senado, o índice é de 16% dos eleitos em 2018. Em nível municipal, dos quase 58 mil vereadores eleitos em 2016, apenas 14% eram mulheres. Em mais de 1,2 mil cidades, não há sequer uma vereadora. "Mais da metade da população brasileira não fala por si", resume o vice-procurador-geral eleitoral, Humberto Jacques de Medeiros. "Temos hoje uma desproporção muito grande entre um contingente populacional [as mulheres] e sua respectiva participação enquanto atores políticos. Isso é um problema muito grave, que arranha a democracia", enfatiza.

A ínfima presença delas em cargos eletivos poderia sugerir que os brasileiros têm preconceito em votar em mulher. Não é, entretanto, o que dizem pesquisas sobre o assunto. Um levantamento de 2009, do Instituto Patrícia Galvão em parceria com o Ibope, revelou que nove entre 10 brasileiros dariam seu voto para mulheres – e quase 60% o fariam para qualquer cargo.

Se é assim, qual o problema, então?

"Não tenho dúvidas de que o motivo está associado ao sistema eleitoral que temos, com a lista aberta e o custo das campanhas", diz Clara Araújo, professora da Universidade do Estado do Rio de Janeiro (Uerj) e uma das maiores pesquisadoras sobre a participação feminina na política brasileira. Com a lista aberta, as vagas conquistadas pelo partido ou coligação são ocupadas por seus candidatos mais votados – consequentemente, há uma competição entre membros da mesma legenda ao longo de toda campanha. E, nessa disputa, as mulheres levam a pior, uma vez que não têm o mesmo capital político dos homens: não têm tantos recursos para aparecerem na TV, não ocupam cargos que lhes deem visibilidade e credibilidade perante o eleitor e tampouco são consideradas experientes.

Pesa sobre elas, também, os efeitos da cultura patriarcal, que lega à figura feminina a responsabilidade pelo cuidado da casa e da família. "O exercício político demanda essencialmente tempo, uma das coisas que falta à maioria das mulheres, que lidam com dupla, às vezes tripla, jornada de trabalho", dizem Cristina

Terribas e Tainá de Paula, membros da partidA, um movimento feminista que promove ações e estratégias visando à ocupação dos espaços de poder pelas mulheres.

SEM APOIO OU QUALIFICAÇÃO

Ocupar tais espaços é uma tarefa difícil para mulheres de qualquer lado do espectro político. Quando a ex-governadora do Rio Grande do Sul e ex-deputada federal Yeda Crusius (PSDB-RS) assumiu o cargo de ministra do Planejamento, Orçamento e Coordenação, em 1993 – no governo do ex-presidente Itamar Franco – o principal "susto", que denotava preconceito, veio de dentro de seu partido. "O problema está na cultura partidária. As instituições ligadas ao poder ainda não se abriram", lamenta.

"Um dos maiores problemas é a falta de compromisso dos partidos com as mulheres. A maioria lança candidatas apenas para cumprir a legislação de cota de candidaturas, sem um real engajamento e apoio para a eleição dessas mulheres", afirma a deputada federal Luizianne Lins (PT-CE), que, quando candidata à Prefeitura de Fortaleza, em 2004, viu seu nome envolvido em ataques misóginos.

A reportagem consultou os sete maiores partidos do país sobre as políticas internas adotadas para a ampliação da participação feminina. Todos informaram ter um "setor feminino", que executa ações como debates e cursos, entretanto, em apenas dois (PT e PSDB) há, estatutariamente, uma determinação em relação à presença de mulheres em instâncias decisórias internas.

Além da disputa por espaço, muitas candidatas ou ocupantes de cargos precisam enfrentar uma constante desqualificação pelo simples fato de serem mulheres em um ambiente tradicionalmente masculino. Pesquisadores que estudam o impeachment da presidente Dilma Rousseff, por exemplo, apontam que, durante o processo, cresceram os mitos que relacionam a figura feminina à loucura, à histeria e ao descontrole de modo geral. "A incapacidade política da presidenta foi muito reafirmada pela imprensa. Quaisquer que fossem as decisões e posturas de Dilma Rousseff, tudo era traduzido como 'falta'. Portanto, como mulher 'fora do seu lugar'", diz a professora Linda Rubim, da Universidade Federal da Bahia (UFBA). Para ela, a saída de Dilma interrompeu um processo de protagonismo da mulher que vinha se desenvolvendo no país. "O rebaixamento institucional da representação das mulheres no governo se tornou evidente", diz.

QUAL A SOLUÇÃO?

As fontes ouvidas pela *Revista AzMina* defendem que, dificilmente, algo mudará sem uma ampla reforma política. "É preciso que tenhamos mulheres com inspiração para seguir a carreira política e que isso encontre meios de prosperar", diz Medeiros.

Além disso, é necessário investir em mecanismos de igualdade de gênero com efeitos indiretos sobre a participação de mulheres em cargos de liderança e poder. "Precisamos de serviços públicos de apoio aos cuidados, que ficam sempre nas mãos das mulheres, ações afirmativas e de uma reforma que democratize as condições de disputa", diz a professora Clara Araújo.

Ela destaca, ainda, um desafio adicional: a superação da descrença geral em relação aos partidos. "Como entrar e ocupar espaços, se as pessoas acreditam menos na política?", questiona. "Por outro lado, vejo hoje um movimento feminista mais ativo, com mais mulheres indo às ruas se manifestar", pondera.

Ao que tudo indica, nossa batalha continua.

Copyright © 2020 Nana Queiroz e Helena Bertho

Todos os direitos reservados a Pólen Livros e protegidos pela Lei nº 9.610, de 19.02.1998. É proibida a reprodução total ou parcial sem a expressa anuência da editora.

Grafia atualizada segundo o Acordo Ortográfico da Língua Portuguesa de 1990, que entrou em vigor no Brasil em 2009.

Projeto gráfico
ESTÚDIO REBIMBOCA

Preparação de texto
LIZANDRA MAGON DE ALMEIDA

Revisão
TAMY RODRIGUES
VIRGÍNIA VICARI
LUANA BALTHAZAR

Diagramação
ESTÚDIO REBIMBOCA
DANIEL MANTOVANI

Você já é feminista! Abra este livro e descubra o porquê / Nana Queiroz e Helena Bertho (orgs.). – 2ª ed. – São Paulo: Pólen, 2020.
208 p.

ISBN 978-65-5094-001-0
Inclui Bibliografia

1. Feminismo I. Queiróz, Nana. II. Título.

14-01752   CDD 305.42

Telefone: (11) 3675-6077
www.polenlivros.com.br
@polenlivros

FONTES Arnheim e DK Downward Fall
PAPEL Pólen Soft 80 g/m²
IMPRESSÃO Rettec Gráfica
TIRAGEM 3000 exemplares